# ENFANCE

André Alexis

# ENFANCE

*roman*

Traduit de l'anglais
par Émile Martel

FIDES

*Données de catalogage avant publication (Canada)*

Alexis, André, 1957-

[Childhood. Français]

Enfance

Traduction de : Childhood.

ISBN 2-7621-2074-8

I. Martel, Émile, 1941- .
II. Titre.
III. Titre : Childhood. Français

PS8551.L474C4414 1998 C813'.54 C98-941512-0
PS9551.L474C4414 1998
PR9199.3.A43C4414 1998


Édition originale anglaise publiée par :
McClelland & Stewart Inc.
*The Candian Publishers*
481 University Avenue
Toronto, Ontario, M5G 2E9


Dépôt légal : 4e trimestre 1998
Bibliothèque nationale du Québec

Les Éditions Fides remercient le ministère du Patrimoine canadien du soutien qui leur est accordé dans le cadre du Programme d'aide au développement de l'industrie de l'édition. Les Éditions Fides remercient également le Conseil des Arts du Canada et la Société de développement des entreprises culturelles du Québec (SODEC).

À

Thecla Kathleen
Michele Lise
Denise Ann

et

Horace Clayton Alexis

# HISTOIRE

# I

C'est il y a six mois que ma mère est morte ; Henry, il y a un peu moins longtemps. Depuis ce temps, je suis resté à la maison et j'ai gardé les choses en ordre.

J'ai beaucoup pensé à eux.

J'ai réfléchi sur l'Amour, tu sais, et celui qui les liait a été le premier et le plus surprenant attachement dont j'ai été témoin. Je ne le comprenais pas, alors. Je me pose encore des questions, quoique c'est maintenant devenu un amour plutôt triste à regarder.

Mais je vais le regarder ; ou plutôt, il faut que je le regarde.

J'ai décidé d'écrire, de m'occuper autrement qu'avec mes tâches domestiques et les fantasmes que m'inspirent tes épaules.

Non pas que je ne fasse rien.

Je lis beaucoup et je cuisine un peu. À part ça, tu n'as pas idée comme il y a des choses à faire dans une pièce, autour d'une pièce. Je peux t'assurer que ça n'est pas ennuyeux du tout, car la distraction dépend de la discipline. Il faut morceler la journée en portions appropriées ; pour cela, il faut une horloge et un peu de fermeté.

Il faut aussi un horaire :

7 heures : le réveil m'éveille ;
8 heures : je nettoie ma chambre ;
9 heures : je nourris Alexandre (graines) ;
10 heures : je lis de la poésie ;
11 heures : je continue de lire de la poésie ;
midi : je prépare mon repas de la journée ; je le mange ;
13 heures : j'écris des lettres (au *Citizen*) ;
14 heures : je nettoie ma chambre ;
15 heures : je fais du thé ;
16 heures : je vais faire une promenade et je marche en pensant à toi (nous nous connaissons maintenant depuis plus d'un an) ;
17 heures : je lis le journal ;
18 heures : je lis de la philosophie ;
19 heures : je continue de lire ;
20 heures : je médite sur ce que j'ai lu ;
21 heures : je nourris Alexandre (fruits, légumes) ;
22 heures : je prends un bain ;
23 heures : je prépare l'horaire du lendemain ;
de 00 heures à 6 heures : sommeil.

Tout cela ne te donne bien sûr aucune idée de la richesse de mon existence. Ça ne prend pas une heure pour m'éveiller. Et ça ne me prend pas une heure pour nourrir Alexandre. Je peux faire du thé en quinze minutes et il y a des jours où je n'ai pas de lettres à écrire. Et je ne limite pas mes lectures à la poésie ou à la philosophie et, bien que je nettoie ma chambre deux fois par jour, il y a plusieurs façons de le faire, chacune avec ses plaisirs.

Mais rien de tout cela ne m'occupe autant que je le souhaiterais. Je réfléchis ; bien des choses roulent dans ma tête. Peut-être qu'écrire est la discipline dont j'ai besoin.

Alors, je vais écrire, avec précision, au sujet de ma mère et de Henry, au sujet de l'Amour, en pensant à toi, à partir du début.

J'ai eu une enfance singulière.

Mes parents se sont séparés à ma naissance et on m'a envoyé vivre chez ma grand-mère.

Ma grand-mère, Madame Edna MacMillan, vivait à Petrolia.

Je pense qu'elle n'était pas heureuse de m'avoir. Elle avait passé l'âge d'être tolérante et elle était acariâtre. (Vers cinq ou six ans, je suis passé par une période où je me demandais si Dieu savait faire des montagnes qu'il ne pouvait pas soulever lui-même ; ma grand-mère m'a dit qu'Il n'existait pas de toute façon, alors à quoi bon se poser la question.)

Et puis elle buvait pas mal de vin de pissenlit. Du jour où j'ai pu distinguer les pissenlits des chardons, elle m'a envoyé à la cueillette sur les pelouses et dans les champs du voisinage[1].

Ce n'était pas une femme cruelle, mais elle était capricieuse. Ce n'était pas facile de savoir où on en était avec elle. Pour moi, en tout cas, ce n'était pas facile. Ses seules amours étaient son vin de pissenlit et les poèmes d'Archibald Lampman :

---

1. L'été, le champ en face de la maison était jaune de pissenlits et piquant à cause des chardons. Ça sentait la mauvaise herbe et le pin.

Avec mon panier pour les pissenlits, j'apportais un pot en verre pour attraper des sauterelles et des grillons. En fait, je passais une bonne partie de mon temps avec des insectes : les trouver, les attraper, admirer leurs ailes et leurs antennes, puis les libérer.

Venant des plaines qui roulent vers le sud, pâle,
Le chemin passe à côté de moi, blanc et nu;
En nageant il semble grimper la colline
Et, plus loin encore, fondre dans l'éblouissement...
etc.

C'était un étrange mélange, le vin et Lampman, mais j'ai une fois utilisé la poésie contre le vin, et je lui ai été reconnaissant.

Ma grand-mère avait soixante-cinq ans quand j'ai été abandonné à ses soins; c'était une maîtresse d'école à la retraite, maigre comme un bâton, avec une auréole de cheveux blancs. Ses yeux étaient brun foncé et son nez était un peu incliné sur un côté.

Son apparence était prévisible. En général, elle portait l'une ou l'autre de ses deux robes: il y en avait une qui était longue, à manches courtes pour l'été, avec des fleurs rouges et noires sur fond blanc, et une autre à manches longues, pour l'hiver, avec des fleurs rouges et blanches sur fond noir. Chaque matin, elle s'éveillait à sept heures, et elle prenait un petit verre de vin. Si elle avait passé une mauvaise nuit, elle en prenait deux.

Il y a peut-être eu une époque, bien avant, où cela tranquillisait ses nerfs; mais quand je l'ai connue, le vin ne l'aidait pas du tout.

Quand elle avait la déprime, c'était impossible de savoir ce qu'il y aurait pour le petit-déjeuner. J'ai mangé du Pablum au petit-déjeuner jusqu'à l'âge de sept ans, alors j'étais sûr du Pablum. Parfois elle me nourrissait elle-même. Parfois elle mettait le bol de Pablum devant moi. Parfois, elle me donnait une cuiller, parfois une fourchette. Et une fois, dans un moment d'étourderie, elle a utilisé la cuiller de bois pour me lancer le Pablum tiède qu'elle puisait dans la casserole.

Une bonne partie du genre de journée que j'aurais était déterminée au moment du petit-déjeuner.

Je ne dis pas qu'on a abusé de moi, mais il y a des fois où elle m'a frappé un peu fort avec sa cuiller de bois, et d'autres fois où elle me frappait avec ce qui lui tombait sous la main (je ne sais pas si c'est arrivé à d'autres d'être battus avec un fouet pour les œufs, mais moi oui, une fois). Je ne me souviens pas toujours des raisons pour lesquelles elle me frappait. Il n'y avait pas toujours une bonne raison, mais la fois à laquelle je pense, quand j'ai utilisé son cher Lampman contre elle, j'avais vraiment fait quelque chose de mal.

Dans le champ en face de la maison, j'étais tombé et je m'étais coupé sur un pot de verre cassé. Plutôt que de demander un sparadrap, comme j'aurais dû le faire, je suis allé en chercher un moi-même. Les sparadraps étaient sur la tablette la plus basse de la pharmacie de la salle de bain et je pouvais arriver à les atteindre en me tenant sur la pointe des pieds. Mais j'ai eu le malheur de renverser une bouteille de teinture d'iode qui a explosé dans le lavabo. Ma grand-mère est venue voir ce qui se passait.

J'avais six ou sept ans ; mes chances de gagner contre elle étaient nulles. Elle avait picolé et elle avait une poêle à frire dans la main. J'ai vu la poêle à frire s'élever au-dessus de moi. J'ai levé les mains pour me protéger la tête. Je ne sais pas ce qui m'a pris de réciter de la poésie, mais c'est ce que j'ai fait :

Et l'été en arrivait à sa conclusion dorée
Et, perdu parmi ses champs de maïs, l'âme lumineuse,
À peine saisissable dans son repos divin
Comme il était proche, comme il était doux, l'inévitable but

Et j'étais là, les mains levées, à glapir les premiers vers de « Septembre », le seul poème de Lampman que je savais par cœur, tellement elle l'avait récité des centaines de fois.

Et le poème l'a apaisée.

— Petit malin, dit-elle,

se retournant et zigzaguant vers sa cuisine et ses ustensiles.

Tout cela semble bien improbable, maintenant, mais je me souviens encore de chacun des mots du poème. L'incident est d'autant plus remarquable qu'à cet âge-là je ne devais pas comprendre grand-chose au poème de Lampman.

Petrolia n'était pas une ville bien intéressante. Je peux bien le dire, maintenant que j'ai des lieux avec lesquels la comparer. Ça devait sans doute être un bon cadre pour un enfant. On était entouré par la nature : la terre, des souris, des grenouilles, des insectes, l'écume de la fraie des carpes, des tortues et des oiseaux.

La ville était froide et blanche en hiver. Humide au printemps, chaude en été et puis encore froide à l'automne ; tout à fait ce à quoi on s'attend du sud de l'Ontario. Il y avait peu de monde et encore moins d'immeubles. Il y avait un terrain de golf, une fabrique de tuiles, un barrage. Et au printemps, quand la seule rivière de la ville sortait de son lit, elle emportait presque toujours un enfant avec elle.

Mes amis de l'époque, quand j'avais cinq ou six ans, étaient Sandy Berwick, les sœurs Goodman et les Schwartz ; ils vivaient tous tout près.

La cour arrière de Sandy touchait la nôtre. Son père était le Révérend Berwick. Nous étions amis parce que j'étais le seul à pouvoir le supporter.

La première fois qu'on s'est rencontrés, ça s'est passé à peu près comme ceci :

J'étais dans le jardin, en train d'arracher des mauvaises herbes. De son côté de la clôture, Sandy a dit :

— Je m'appelle Berwick... Qu'est-ce que tu fais ?

— Je ramasse des herbes.

— Pour Mme MacMillan ?

— Pour ma grand-mère.
— Elle est très vieille...
— Ouais, elle est plutôt vieille.
— Est-elle chrétienne ?
— Je ne pense pas.
— Oh ! C'est épouvantable...

Il est parti. Il était en culottes courtes, avec des chaussettes blanches qui lui montaient jusqu'aux genoux. Il est revenu une minute plus tard.

— Il faut la convertir, tu sais, dit-il.

Et il est reparti.

Je ne savais pas du tout de quoi il parlait, mais ça semblait important. Il comprenait les choses. Ma grand-mère était vieille. Elle n'était pas chrétienne. Il fallait la convertir.

Les Goodman étaient nos voisins d'un côté, les Schwartz, de l'autre.

Il y avait trois sœurs Goodman : Jane, Andréa et Margaret. Elles avaient toutes des cheveux en balai que Mme Goodman leur taillait le premier vendredi du mois. Les trois sœurs étaient populaires. Chaque jour, jusqu'à cinq heures, il y avait une demi-douzaine de filles dans la cour des Goodman ; et quand elles n'étaient pas dans la cour, elles étaient dans le sous-sol, à jouer avec des poupées ou à écouter des disques sur leur tourne-disque portatif.

Pour moi, le sous-sol des Goodman était fascinant. Les murs étaient recouverts de panneaux qui sentaient le pin. Au pied des marches, il y avait un bar, avec un comptoir en *arborite* blanche. Derrière, des tablettes avec des bouteilles aux couleurs brillantes. Et il y avait des objets étranges : une tirelire en forme de femme en maillot de bain, un ouvre-bouteille en forme de minuscule bâton de golf, un bock avec des seins de couleur chair, et des cubes à glace en plastique avec une mouche à l'intérieur. Un peu partout sur le mur, on avait épinglé des cartes postales de Floride et des instantanés de M. et Mme Goodman en vacances.

Le sous-sol avait une moquette. Des fauteuils et un sofa rembourré. Dans une pièce à part, il y avait une table de ping-pong. Tout cela paraissait si luxueux, si riche. En comparaison, notre sous-sol était un donjon humide et moisi.

Je n'allais pas souvent chez les Goodman, parce que j'étais timide et parce que M. Goodman ne m'aimait pas; mais c'est là que j'ai appris à danser à la corde, à sauter *Double Dutch* et *Irish*, à faire la différence entre une poupée en vêtement d'été et une poupée en vêtement sport, à faire des têtes en papier mâché et des silhouettes avec du carton de bricolage.

Et puis, pour tout dire, Margaret a été ma première flamme.

De l'autre côté, les Schwartz vivaient dans une maison de deux étages en briques rouges; la plus petite maison de la rue Grove, c'était aussi la plus belle. Elle était couverte de lierre et toute la propriété était entourée d'une haie en broussailles. Devant les fenêtres de la façade, une de chaque côté de la porte, il y avait une boîte blanche pour les fleurs; au printemps, elles étaient pleines de tulipes.

Quand je les ai connues, Mme Schwartz avait vingt-cinq ans et sa fille Irène en avait cinq.

Aussi loin que je me souvienne, Lillian Schwartz a été la seule personne à me parler de ma mère: ma mère quand elle était petite, les poupées qu'elle aimait, les livres qu'elle lisait, le parc de la rue King où elle était tombée de la balançoire; ma mère quand elle était adolescente, belle dans certaines robes, qui se disputait avec ses parents; puis qui est soudainement partie à l'âge de dix-sept ans, avec un homme de Sarnia.

Dans le portrait de ma mère qu'en faisait Lillian Schwartz je croyais partiellement voir le mien ; j'imaginais ma mère mince, timide et malheureuse.

De plus, Mme Schwartz n'était jamais condescendante avec moi. Elle me traitait comme un collègue. Par exemple, quand elle a pris un cours par correspondance sur les religions, j'ai été introduit dans l'univers effrayant des herbes enchantées, des saints qui meurent et des morts agités.

À ce jour, je ne peux penser sans frémir à Philo d'Alexandrie, mais Lillian Schwartz a été la grande personne que j'ai aimée le plus après ma grand-mère et, quant à moi, on pouvait avoir plus confiance en elle, en tout cas pour ce dont je suis resté affamé.

# II

OBSERVATEUR DU MALHEUR de tant d'autres, je comprends maintenant la peine de ma grand-mère.

Elle a vécu une vie différente de celle qu'elle avait souhaitée. Elle s'est mariée tard et son mari l'a abandonnée. (En fait, il est mort, mais je pense qu'elle le lui reprochait.)

Pendant des années, elle a enseigné au cours élémentaire, même si elle était sans tendresse envers les enfants et elle avait mis bas, si l'on peut dire, une enfant ingrate. Après une telle vie, vécue dans une ville aussi loin du monde, que lui restait-il si ce n'est recourir au vin de pissenlit et attendre ses chèques de pension ?

Et puis je lui suis tombé dessus.

Elle aurait pu me noyer, m'empoisonner, m'abandonner dans la circulation, me donner en pâture aux chiens, toutes choses qu'elle a par ailleurs menacé de faire. Mais elle m'a plutôt, à sa façon, mis à l'abri. (Il y a, à la frontière même de ma mémoire, un souvenir de sommeil dans ses bras ; son odeur amère, ses cheveux blancs et secs...)

Je n'ai pas compris jusqu'à quel point chaque geste de tendresse à mon endroit lui coûtait. Nourrir et vêtir un enfant qui, pour comble, ressemblait à sa fille irresponsable, imaginez-vous l'affaire !

De plus, il y avait ses amies, les deux ou trois vieilles dames qui venaient lui rendre visite de temps à autre. Elles avaient l'odeur de la poudre de bébé et du linge sale. Elles tenaient mon menton dans leurs mains et me secouaient la tête jusqu'à ce que j'aie le vertige, et ensuite elles disaient des choses comme :

— Tout le portrait de Katarina.

— Tu ne sembles pas bien prendre soin de lui, Eddy.

— C'est un petit animal.

— Je ne pense pas que tu l'élèves comme il faut.

Et elles me secouaient la tête encore un peu.

Ça devait mettre du sel dans ses blessures.

Ma survie a donc été une question de chance. Aussitôt que j'ai appris à le faire, je me suis maintenu à distance de ma grand-mère. Moins elle me voyait, plus j'étais tolérable.

Comme je l'ai dit, j'ai rencontré Sandy Berwick pendant que j'arrachais des mauvaises herbes dans le jardin.

Je ne comprenais pas très bien son idée qu'il fallait convertir ma grand-mère. La conversion religieuse, au moins jusqu'à ce que M$^{me}$ Schwartz commence son cours sur les religions, n'était pas importante à mes yeux. Pour autant que je puisse en juger, ma grand-mère et moi n'étions pas religieux du tout. C'est elle qui m'a dit que Dieu n'existait pas et nous étions rarement entrés dans une église.

De toute évidence, l'éducation de Sandy était différente de la mienne. Son père était pasteur de l'Église Unie. Sa famille était dévote, mais ça n'est pas ce qui expliquait son ardeur. Son esprit s'était fixé un but et il n'allait pas le lâcher.

Peu de temps après notre première rencontre, j'étais à nouveau dans la cour. C'était une journée chaude. Le jardin était desséché. (Nous appelions ça un jardin, mais il n'y avait pour ainsi dire pas de fleurs, rien qu'une rangée de tourne-sols qui penchaient dans notre direction, même s'ils appartenaient aux Berwick.) J'avais trouvé un bâton pour faire des trous dans la terre, et j'avais trouvé une fourmilière.

Cette fois-ci, j'ai vu venir Sandy *avant* qu'il ne me parle :

— Tu veux qu'on soit amis ? m'a-t-il demandé.

— Pourquoi pas.

— Qu'est-ce que tu fais ?

— Je creuse des trous.

— Pourquoi ?

— Je ne sais pas.

— Tu veux voir ma maison ?

— D'accord.

J'étais obsédé par les maisons des autres. Je me souviens en détail de la maison des Berwick. Elle avait une bonne odeur. D'une propreté sublime.

Il y avait un tapis sur les marches qui montaient à l'étage. La cuisine était impeccable ; pas de taches de Pablum, pas de carrelage graisseux, aucun signe de violence. Le peu de meubles qu'il y avait étaient pleins d'angles. (Même si d'autres maisons étaient plus chaleureuses, c'est chez Berwick que j'aurais choisi de vivre.)

M<sup>me</sup> Berwick nous a accueillis dès notre entrée.

— Te voilà, Alexandre, dit-elle en français en embrassant les oreilles de Sandy. Tu as un ami ? Tu me le présentes ?

Elle le tenait près d'elle, avec un sourire poli, pendant qu'on nous présentait, heureuse que son fils ait trouvé un ami.

— Tu veux quelque chose à manger, chéri ? Déjà deux heures depuis le déjeuner. Tu n'as pas faim ? Oui, tu as sûrement faim. Viens manger un peu.

Elle nous a menés à la cuisine et a placé un panier d'oranges devant nous. Elle a coupé deux tranches de gâteau (jaune canari et insupportablement sucré) et les a mises dans de petites assiettes. Elle nous a apporté des verres de lait.

Sandy n'était pas intéressé. Il m'a regardé manger sans toucher sa nourriture. Mme Berwick a tout fait pour l'encourager. Elle s'est mise derrière lui et lui a joué dans les cheveux. Elle lui a chuchoté des choses. Elle a même commencé à grignoter son gâteau, jusqu'à ce que, finalement, il brise un petit bout de la pointe du gâteau et le place sur le bout de sa langue.

— Tu vois, dit-elle, miam miam ...

J'étais déconcerté. Ma grand-mère ne se préoccupait jamais de ce que je mangeais et je mangeais tout ce qu'on plaçait devant moi. Quand nous avons eu fini, Mme Berwick a inspecté l'assiette de Sandy. Il avait mangé assez pour la satisfaire (la moitié du gâteau, un quartier d'orange) et elle nous a laissés aller.

La chambre de Sandy était comme le reste de la maison. Il y avait une moquette. Aucune odeur particulière. Les murs étaient blancs. Un lit bien fait au-dessus duquel il y avait un tableau avec le Christ entouré de petits enfants.

Et il y avait des petites tablettes chargées de livres en français[2].

---

2. Je ne sais pas comment ça s'était passé pour lui mais, quant à moi, je lisais depuis l'âge de quatre ans. L'apprentissage de la lecture avait été, comme tout ce que j'ai appris de ma grand-mère, traumatisant.

Elle avait commencé à m'enseigner l'alphabet dès que j'ai pu dire « gran'man ». Des heures à la table de la cuisine ; moi, tout petit et nerveux, d'un côté, ma grand-mère, avec ses cartes et son mètre de bois, de l'autre côté. Croyez-moi, j'ai appris vite.

— Mets tes mains sur la table. Quelle est cette lettre ?

— A ?

— C'est ça. Et celle-ci.

— D ?

*Smack !* Un bon coup sur les jointures.

— Tu essaies de deviner ?

— O ?

Sur la tablette supérieure d'une bibliothèque, Sandy avait une cage avec deux rats blancs: Aline et Pierre.

La maison propre, la chambre rangée, la cour arrière aménagée. C'était plus ou moins les frontières de l'univers de Sandy.

Il aurait préféré jouer au base-ball, nager dans l'étang du terrain de golf, lancer des pierres aux voitures qui passent, mais avec son asthme, tout cela n'était guère possible. Aussitôt qu'il courait quelques mètres, il s'affaissait, essoufflé, et il fallait que je l'aide avec son inhalateur, ou bien attendre qu'il se remette.

Nous ne faisions pas grand-chose ensemble. Nous lisions nos bandes dessinées, parfois nous explorions le bois derrière la fabrique de tuiles, ou nous nous débarrassions des rats nés

---

*Smack!* Un autre coup sur les jointures.

— Ne devine pas. Qu'est-ce que c'est?

— C'est D.

— C'est ça. Et celle-ci?

Après les lettres elles-mêmes, on est passé à leur son, et c'était encore plus difficile. Comment est-ce que A pouvait être à la fois A comme dans chasse et A comme dans chat?

Quelles étaient les règles?

Et ma grand-mère ne s'en tenait pas aux mots courts quand il s'agissait de prononciation. Pour chaque « table », il y avait un « disponibilité », un « faramineux » ou un « définitivement ». Des mots bien compliqués, mais j'ai appris à les prononcer et elle n'a brisé aucun de mes doigts.

Et nous avons commencé à lire.

Ç'aurait été plaisant de lire des choses simples, comme *Ma mère l'Oye* ou *Le petit chaperon rouge*. Non, nous lisions de la poésie anglaise ou bien Dickens, des tonnes de Dickens.

Pour être honnête, il y avait un plaisir certain à découvrir l'anglais de cette façon, mais aussitôt que j'ai commencé à prendre un peu d'assurance, elle a commencé en français. J'ai appris cette langue de la même façon, même si je le parle avec un accent de Trinidad.

d'Aline et de Pierre. Finalement, cela suffisait pour passer les heures entre le petit-déjeuner et le repas du soir (en été), ou l'après-midi et le soir (pendant l'année scolaire).

Ça n'était pas une amitié durable. Les Berwick ont déménagé au Wyoming quand j'avais onze ans et il n'y pas eu d'adieux.

Ce dont je me souviens le mieux au sujet de Sandy, c'était son souhait de convertir ma grand-mère, ses difficultés pour respirer, le corps de sa mère.

Nous étions amis depuis deux ans quand Sandy est entré dans une époque particulière.

Ça a commencé quand nous avons trouvé une pile de revues scabreuses dans le bois derrière la fabrique de tuiles.

La fabrique de tuiles était à l'abandon et en ruines. Elle était située juste au-delà du terrain de golf, à la limite de la ville, à distance de marche de la maison. (C'est-à-dire que Sandy pouvait marcher jusque-là sans souffrir.) Derrière la fabrique, il y avait un terrain avec des buissons, des chardons et des arbres chétifs. Un petit ruisseau traversait cet espace et c'était un lieu parfait pour attraper des sauterelles, des mulots, des musaraignes et des grenouilles.

Au milieu de ces broussailles, il y avait une cabane, un abri en fait, juste assez grand pour accueillir une demi-douzaine d'enfants à la fois. À l'intérieur, ça empestait et l'endroit était, à sa façon, dangereux. Nous nous sentions braves de l'explorer.

Les revues étaient dans la cabane.

La plupart d'entre elles étaient des revues « pour hommes », pleines de photographies en couleurs de femmes nues. Deux d'entre elles, cependant, laissaient perplexe.

La première, *Mon cher cheval*, avait des photos d'une femme qui tenait le pénis d'un cheval dans sa main ou qui plaçait sa bouche autour du pénis d'un cheval. Dans un cas, elle s'accrochait à un cheval qui la pénétrait avec son pénis.

La deuxième n'avait pas de couverture ; elle était pleine d'hommes et de femmes qui se brûlaient les uns les autres. Ils étaient nus, mais ils ne copulaient pas. Tout ce qu'ils faisaient, c'était se brûler les uns les autres avec des cigarettes ou des briquets au butane, avec des bougies ou des cigares. Rien d'autre.

Nous avons trouvé que ces deux revues étaient trop exagérées pour les garder, alors nous les avons laissées à leur place. Les autres, nous les avons emportées à une autre cachette. Nous les avons enterrées au pied d'un bouleau tout près de la fabrique. Et nous sommes retournés voir nos revues de temps à autre, jusqu'à ce qu'elles se désintègrent[3].

Leur effet sur Sandy a été immédiat. Alors que jusque-là nous nous étions promenés dans le bois et les champs en ne parlant de rien en particulier, nous ne parlions plus maintenant que des femmes. Est-ce qu'elles étaient toutes comme celles des revues ? Est-ce qu'elles avaient toutes un vagin ? Comment seraient-elles si elles n'en avaient pas un ? Comment le savoir ? Est-ce qu'on pouvait le demander ?

Et puis un jour, Sandy s'est demandé à voix haute si sa mère était « vaginée » ou non. Je n'avais pas pensé à Mme Berwick en ces termes mais, d'après moi, elle l'était sûrement.

---

3. Ces revues m'ont fourni la première preuve que les adultes autour de nous étaient engagés dans des choses louches. C'était aussi la première fois que j'étais excité sexuellement, sans vraiment savoir que c'était ça. Je ne pouvais pas comprendre les chevaux et les brûlures, mais la plupart des autres images provoquaient en moi, physiquement, une accélération du pouls, un sentiment d'anxiété et, je m'excuse de le mentionner, une érection qui n'était pas tout à fait désagréable même si elle était involontaire.

Si j'avais le choix, cela n'aurait pas été ma première expérience sexuelle. C'est irritant de retourner à ce bois, au bruit des oiseaux, à l'odeur de la terre et des arbres, à la puanteur de la cabane.

— Bien sûr qu'elle a un vagin, ai-je dit.

— Comment le sais-tu ?

Après une discussion longue et réfléchie, il a fallu avouer que je ne le savais pas. Comment l'aurais-je su ? Mais pourquoi Mme Berwick n'aurait-elle pas un vagin ? Nous avions bien tous un pénis, n'est-ce pas ? (Quoique cela aussi était discutable.)

J'aurais préféré laisser tomber l'affaire, mais pour Sandy, c'était un prétexte. Il a commencé à planifier la meilleure manière pour nous de découvrir les parties intimes de sa mère.

Nous avons commencé à passer plus de temps chez lui.

Nous nous cachions dans la salle de bain pendant des heures en attendant que Mme Berwick entre.

— Mais qu'est-ce que vous faites dans la salle de bain ?

Plusieurs fois il lui demanda si nous pouvions nous cacher sous sa jupe.

— Mais pourquoi ?

Aussitôt qu'elle avait les mains pleines, il levait sa robe le plus haut qu'il pouvait.

— Alexandre, laisse maman tranquille !

Nous nous cachions dans l'armoire de la chambre à coucher, avec la porte entrouverte juste assez pour voir ce qui se passait. (Une fois, ça a presque marché mais au moment où Mme Berwick a commencé à se déshabiller, Sandy a gloussé d'impatience et elle nous a découverts.)

La chose la plus remarquable dans tout ça, c'est la patience de Mme Berwick. Ce que nous cherchions devait être évident, mais elle était indulgente.

Et, en fait, nous l'avons finalement vue nue, mais pas comme Sandy l'avait planifié.

Un après-midi d'été, nous étions comme d'habitude insupportables et Mme Berwick en a eu assez et elle a dit :

— Bon. Aujourd'hui, nous allons à la plage.

— C'est une très bonne idée, dit le Révérend Berwick.

Nous ne pensions pas que c'était une bien bonne idée, mais nous avons aidé à faire des sandwichs au jambon et de la limonade et nous sommes tous montés dans la voiture.

La route était interminable.

Nous sommes sortis de la ville, nous avons passé Sarnia, nous avons passé des champs cultivés et des animaux de ferme et des fermes, nous avons pris des chemins de gravier et des chemins de terre. Puis, quand le Révérend Berwick a arrêté la voiture, nous avons marché par un sentier de cailloux jusqu'à un petit lac.

Il y avait des nuages dans le ciel, mais il faisait soleil. L'eau était claire et froide. La petite plage avait l'odeur des pins qui la bordaient. Il y avait des cailloux sur le sol et il fallait faire attention en marchant. Le Révérend Berwick a étendu deux grandes serviettes bleu pâle sur le sol, et ensuite lui et Mme Berwick se sont déshabillés. Comme ça, sans désinvolture et sans embarras. Mme Berwick a dénoué ses cheveux et elle a glissé ses lunettes dans la veste de son mari.

— Vous ne vous déshabillez pas ? a-t-elle demandé.

Son corps était rose et blanc. Elle avait des seins lourds, traversés de veines bleu pâle en réseaux. Ses mamelons étaient foncés et, bien oui, elle avait un vagin ou, en tout cas, les poils de son pubis laissaient entendre qu'elle en avait un. Le Révérend Berwick était mince. Son corps était blanc et avait l'air doux. Bien sûr, il avait un pénis.

Ils sont tous les deux descendus lentement dans l'eau, puis le Révérend Berwick a plongé.

À contrecœur, Sandy et moi nous sommes déshabillés et les avons rejoints. Sandy est resté tout seul dans la partie peu profonde, mais une fois que je me suis habitué à l'eau, je suis allé aussi loin que j'ai pu.

Maintenant, bien sûr, je comprends ce qu'il y avait de mémorable dans cet incident. Ça n'était pas tant la nudité des Berwick. Ils étaient aussi soignés nus qu'habillés. C'est ma conscience qu'ils avaient dû toujours être à l'aise avec leur corps.

Il n'y avait pas de doute que Sandy avait vu le corps de sa mère. Il avait comploté pour que je voie ce corps, mais pas de cette façon-là. Cette journée à la plage a été une déception pour lui. Pourquoi ? Parce que je suis convaincu qu'il avait sa propre raison de souhaiter me faire voir le corps de sa mère.

Peut-être qu'il voulait la rendre mal à l'aise ou, qui sait, peut-être était-il fier de me montrer ce qu'il avait déjà vu.

À ce jour, je ne sais pas la raison de son geste. Il n'y a pas de motivation pour une telle ruse, il me semble.

## III

Un mot en arrière, deux mots en avant. Je m'étonne de constater comme c'est difficile d'écrire. Comme c'est difficile de mettre en ordre ma propre vie.

Je me lève encore à sept heures, comme d'habitude, mais presque toute la journée est passée à gribouiller.

Les horaires que je rédige ne sont pas tellement utiles mais je ne veux pas les suivre de trop près. Je suis réconforté quand les choses sont à l'heure, mais j'ai appris à résister à mes penchants.

Mon premier horaire est un acte de désespoir. Je l'ai rédigé en 1978. Je passais par une de mes périodes. J'étais désorienté et fatigué. Je venais de passer trois jours à contempler la fenêtre sale d'un sous-sol.

Puis un coup de klaxon au loin, quelque part, rue Gilmour. Je l'ai entendu et, je ne sais pas pourquoi, j'ai soudainement vu les instants d'une journée comme les grains d'un chapelet.

Quelque chose de transcendant.

J'ai écrit mon premier horaire ce jour-là et, dès les premiers mots

7 heures : réveil

je me suis senti soulagé.

Les choses ne sont évidemment pas tout de suite tombées en place ; après

7 heures : réveil

j'ai écrit

7 heures 01 : Pieds sur le plancher. Sortir du lit.
7 heures 02 : À la salle de bain. Uriner.
7 heures 03 : Me brosser les dents.
7 heures 04 : Utiliser la soie dentaire. Rincer.
7 heures 05 : Marcher lentement de la salle de bain à la cuisine.
7 heures 06 : Arrêt pour me souvenir d'une voix.
7 heures 07 : Interlude émotionnel : nostalgie.
7 heures 08 : Penser au petit-déjeuner en route vers la cuisine.
7 heures 09 : Rejeter la pensée antérieure. Quitter la cuisine.

Et ainsi de suite…

Il y avait bien sûr plus de réconfort dans l'élaboration d'un horaire que dans sa réalisation. Je consignais méticuleusement les minutes de la journée, toutes les minutes de la journée. Il y avait 1440 inscriptions, 43 pages, mais j'avais oublié d'inscrire le temps pour les lire.

Tu comprends, je savais que c'était étrange d'errer dans la maison, à mesurer mes gestes, à lire mes pages, et une fois le réconfort de la précision émoussé, je n'avais pas confiance en mon état d'esprit.

Et pourtant, il y a certaines choses que j'avais bien faites. C'était facile d'appliquer les minutes de sommeil. J'avais eu la sagesse de me laisser des « interludes émotionnels », quoique j'avais oublié à quel point ils sont imprévisibles. (Je me souviens d'avoir fixé une tasse de café pendant trois heures, à me demander pourquoi elle était jaune. C'est difficile d'inscrire un tel épisode dans un horaire.)

Le truc, que je maîtrise maintenant, c'est la flexibilité.

À relire les pages que j'ai écrites jusqu'ici, j'ai le sentiment précis que mon enfance a été déplaisante.

Elle ne l'a pas été; pas totalement.

Ma grand-mère était une femme épeurante, mais elle pouvait parfois quand même se laisser aller à la bonne humeur. Il y avait de la tarte à la citrouille à l'Halloween, du gâteau de Noël pour Noël, du plum-pudding avec crème glacée quand l'idée lui en prenait.

Petrolia était peu intéressant, mais c'était aussi tranquille: un petit crapaud à l'incroyable délicatesse dans la paume de ma main, des laiterons et des chardons, des kilomètres et des kilomètres de vert et d'ocre, les noires chaumes qui pointaient à travers la neige dans les champs...

J'aurais même pu dire que ma petite enfance a été heureuse si je n'avais décidé de la décrire, d'écrire au sujet des autres personnes qui l'ont peuplée.

Mais il n'y a rien à faire. Le chemin jusqu'à Katarina et Henry passe par moi.

Les Schwartz étaient nos voisins du côté est, et ils étaient plutôt inquiétants.

Ils ont emménagé dans leur maison couverte de lierre quand j'avais six ans.

J'étais en train d'admirer un mille-pattes quand j'ai entendu le bruit d'une balle qui rebondit, et puis la voix d'une fille qui chantait.

J'ai regardé à travers la haie et j'ai vu Irène Schwartz qui jouait mollement avec une balle de caoutchouc sur un morceau d'ardoise branlant.

— Qu'est-ce que tu fais ? lui ai-je dit.

— Rien, répondit-elle.

— Tu vis ici ?

— Oui, dit elle.

Et elle est retournée à la balle et à l'ardoise. Un début sans promesse.

— Tu n'es pas censé jouer dans la haie, dit-elle. Ça peut la faire faner.

— Elle ne va pas faner.

— Ma mère dit que oui.

Dégoûté, je me suis retiré de la haie. C'était le problème avec les filles, il y avait plus de plaisir à compter les mille-pattes.

Après un moment, Irène a passé la tête par la haie.

— Garçon voisin ! dit-elle.

— Quoi ?

— On a du jus et des biscuits chez moi.

J'avais entendu des choses au sujet de Mme Schwartz avant de la rencontrer ou de connaître Irène. D'abord, il n'y avait pas d'homme à la maison. Et puis il y avait toujours une bougie dans la fenêtre arrière ; une bougie inexplicable, allumée la nuit. Pourquoi ?

Ma grand-mère les détestait et les filles Goodman pensaient que Mme Schwartz devait être une sorcière, une vraie sorcière avec des enfants enfermés dans la cave et des pots pleins de doigts.

Alors j'étais préoccupé quand nous nous sommes rencontrés.

Irène était presque aussi grande que moi. Ses cheveux étaient courts et ondulés, ses yeux bleu pâle, et elle avait les oreilles décollées.

Nous sommes entrés dans la cuisine par la porte arrière. Je me suis assis à la table, près d'une fenêtre. La fenêtre était ouverte, mais ça sentait la pomme et quelque chose cuisait à feu doux sur la cuisinière.

— Est-ce que nous pouvons avoir des biscuits, s'il te plait ? cria Irène.

Et Mme Schwartz entra. Elle dit :

— Irène, qui est ton ami ?

— Le garçon d'à côté.

— Et est-ce que le garçon d'à côté a un nom ?

— Je ne sais pas.

Je me suis battu avec le silence avant de répondre.

— Thomas, répondis-je.

— Thomas... Tu es le fils de Katarina, n'est-ce pas ?

— Je pense.

— Heureuse de te rencontrer. Il faut des biscuits et de la limonade pour célébrer ça.

Rien dans le comportement de Mme Schwartz ne confirmait ou contredisait le fait qu'elle était une sorcière. Elle était gentille et pleine d'attentions, mais comment faire autrement avec les enfants qu'on veut manger ?

Son apparence ne laissait percer ni le bien ni le mal. Elle était mince et rousse. Les épaules un peu courbées. Un nez étroit, mais pas très long, et ses yeux étaient bleus.

Une fois la limonade bue, elle serra ma main fermement et m'invita à revenir.

Ma deuxième impression de Mme Schwartz a été plus marquante. Une journée couverte, sans soleil, quand l'air sentait la pluie et le goudron, Irène et moi étions dehors, à danser à la corde sur l'air de :

Crème glacée
Bec sucré
Dis-moi le nom
De ton cavalier
A... B... C... D...

Nous n'étions pas très bons ni l'un ni l'autre. Sans enthousiasme, je passais le plus clair de mon temps à regarder Irène, et sa robe qui se gonflait. Et quand la pluie est venue, nous nous sommes précipités à l'intérieur où sa mère courait pour fermer les fenêtres et éteindre les lumières.

Pendant qu'Irène et moi nous nous séchions les cheveux, Mme Schwartz plaçait des bougies sur la tablette des fenêtres.

— La foudre, disait-elle.

Dehors, c'était comme la nuit. Assis dans le salon, nous tentions d'ignorer les éclairs, d'écouter le tonnerre. Je respirais l'odeur de mes vêtements mouillés, des bougies, de la maison elle-même.

Mme Schwartz, effrayée par l'orage, parlait sans arrêt : la pluie est bonne pour le jardin, le tonnerre est la voix de Dieu, nous ne sommes que de l'eau...

Elle racontait aussi deux histoires, l'une sur un certain monsieur Smith et l'autre sur un certain monsieur Jones[4].

---

4. Il était une fois un homme nommé Smith. Chaque matin à sept heures il partait en voiture pour Sarnia, et chaque soir il rentrait. Sa vie était ennuyeuse. Une faible résistance à la mort jusqu'à ce que, un soir, alors qu'il rentrait à la maison, il tombe en panne. C'était en hiver, il était à des kilomètres de la maison. Il y avait une ferme à un kilomètre d'où il était et il marcha péniblement dans la neige profonde pour l'atteindre. Il frappa à la porte et, après un long moment, un vieil homme a répondu. Le visage de l'homme était rond et blanc comme un tambour.

— Qu'est-ce que c'est ? demanda-t-il en ouvrant la porte tout juste assez pour laisser paraître son visage.

Quand M. Smith lui eut expliqué sa situation, le vieil homme répondit :

— Vous savez très bien que je n'ai pas de téléphone !

Et il claqua la porte.

La nuit était extrêmement froide. La lune était blanche. L'haleine de M. Smith était comme de la fumée. Il frappa à nouveau.

— Quoi encore ? répondit le vieil homme.

— Est-ce que je peux entrer quelques minutes pour me réchauffer ?

À ce jour, je me souviens de sa voix, de la façon qu'elle tenait sa cigarette, de la lumière hésitante des bougies.

---

Le vieil homme lui cracha au visage et ferma la porte.

M. Smith retourna à sa voiture, les mains dans les poches, les pieds gelés, le visage enflammé. Il venait de décider de rentrer à la maison à pied quand il vit un petit garçon sur le bord de la route. Le garçon avait environ cinq ans, ses cheveux étaient blanchis par la neige et il portait des vêtements d'été. Debout près de la voiture de M. Smith, il tremblait.

— S'il vous plaît, emmenez-moi avec vous, dit le garçon.

C'était une vision pathétique. M. Smith retira son manteau et en enveloppa le garçon et ils retournèrent tous les deux à la ferme. Cette fois-ci, M. Smith frappa fort. Le vieil homme répondit en prenant tout son temps, comme les deux premières fois, mais quand il vit le garçon il maugréa :

— Allez-vous-en !

Et il essaya de fermer la porte. M. Smith attrapa le nez du vieillard et l'écrasa de toutes ses forces. Le vieil homme implora :

— Mais je ne veux pas mourir !

Il recula pour se libérer et M. Smith et le garçon entrèrent.

Ce qui s'est passé ensuite fut très rapide : M. Smith laissa le nez du vieil homme. Le vieil homme tomba. Le garçon se transforma en un gros chien noir. Le chien bondit sur le vieil homme et le mordit à la gorge. Le vieil homme n'a même pas eu le temps de crier. Son cou s'est brisé et il est mort.

Tu peux imaginer l'impression que cela a produit sur M. Smith. Il était paralysé de peur. Il tremblait pendant que le chien léchait ses babines et nettoyait le sang de son pelage.

— J'arrive dans un instant, dit le chien.

— Prends tout ton temps, dit M. Smith.

Finalement, le chien s'est tourné vers M. Smith et lui a dit :

— Vous ne saviez pas que vous étiez sa mort ?

— Non, dit M. Smith.

— Vous savez, dit le chien après réflexion, il n'y a pas de limite à l'ignorance humaine...

Et comme une ombre, il s'éloigna de la ferme dans la nuit.

À partir de ce moment, M. Smith est devenu un autre homme.

Il évitait les fermes et il sortait rarement en hiver.

Il y avait quelque chose de réconfortant dans sa peur de la foudre.

N'eût été de Lillian Schwartz, l'univers de mon enfance aurait pu n'avoir qu'une dimension temporelle. Je ne savais rien de ma grand-mère, sauf ce que je voyais, et rien du tout au sujet de ma mère.

C'est par Lillian Schwartz que j'ai appris le peu de choses que je sais sur Edna et Katarina MacMillan, des détails qui donnent un certain poids aux dates de leur mort, même si elles sont séparées par des années.

Et pourtant, en me rappelant Mme Schwartz, je me souviens surtout des choses dont elle se souvenait elle-même. Lillian elle-même n'est pas toujours présente dans les souvenirs que j'ai d'elle. Ça rend difficile l'arrangement des choses. Il me semble qu'il faut procéder de la façon suivante :

| | |
|---|---|
| Edna MacMillan | 1 |
| Fin de la Société Dickens du comté de Lambton | 1.1 |
| Mort de son mari | 1.2 |
| Katarina MacMillan | 2 |
| Elle est bonne | 2.1 |
| Elle est sans peur | 2.2 |
| Mme Schwartz et la bougie la nuit | 3 |

Mais peut-être que je glisse dans la poésie.

## 1. Edna MacMillan

Apparemment, ma grand-mère n'a pas toujours été débraillée. D'après les souvenirs de Lillian, elle était consciencieuse et efficace.

Sa vie, sauf pour les années à Trinidad, elle l'a vécue à Petrolia et Petrolia a expulsé d'elle tout le reste avec une telle force que je n'aurais jamais su que son origine était autre que canadienne[5].

Elle a commencé à enseigner quand elle était dans la vingtaine et elle a infecté des générations d'enfants avec le virus de la poésie d'Archibald Lampman. Elle a pris sa retraite à soixante-cinq ans, juste à temps pour prendre soin de son petit-fils, Thomas MacMillan, moi-même.

Pendant des années, sa maison a été le refuge de la Société Dickens du comté de Lambton. C'est-à-dire qu'elle accueillait chez elle un groupe de femmes qui venaient de Petrolia, d'Oil City et d'Oil Springs et se réunissaient rue Grove pour manger du plum-pudding en toutes saisons, et discuter les romans de Charles Dickens.

Les romans, scrupuleusement choisis par ma grand-mère, étaient analysés à mort et on en extirpait les secrets du Tempérament.

C'est au sein de la Société Dickens qu'elle florissait.

Je ne veux pas dire par là que ma grand-mère était sans reproche quant à l'un ou à l'autre des deux malheurs qui ont aigri sa vie : la dissolution de la Société Dickens et la mort de son mari. Son tempérament a toujours été capricieux. Elle pouvait être méchante et intolérante, et elle tendait à avoir des périodes de « sensibilité » qui lui rendaient intolérable la présence des autres.

Dans son grand âge, ces traits de sa personnalité sont devenus plus évidents, mais ils ne venaient pas de nulle part.

---

5. C'est vrai que le drapeau de Trinidad a les mêmes couleurs rouge, blanc et noir des robes de ma grand-mère, mais je crois que c'était une coïncidence. L'île est devenue indépendante en 1962, longtemps après qu'elle en soit partie, longtemps après qu'elle ait cessé de s'en préoccuper.

## 1.1 Fin de la Société Dickens du comté de Lambton

En tant que groupe de lecture, la Société Dickens semble avoir bien marché. Elle a existé de 1946 à 1949, années turbulentes dans le monde, années difficiles pour Petrolia.

Les femmes se réunissaient le premier mardi de chaque mois, dans la soirée.

— La maison de ta grand-mère sentait le plum-pudding et l'eau de rose...

La mère de Lillian Schwartz, Edwina Martin, dont le diminutif était prononcé « Idé », par rapport à celui de ma grand-mère qui était « Êdé », était une fidèle participante, tout comme Lillian. On ne pouvait quand même pas s'attendre à ce que le rôle de M. Martin soit de « travailler toute la journée ET de s'occuper de l'enfant le soir ».

C'est lors de ces soirées, dans le cadre de la Société Dickens, que Katarina et Lillian sont devenues amies. Elles avaient toutes les deux huit ans quand le groupe a été créé. Elles faisaient ce qu'elles voulaient dans la maison, à la condition de ne pas déranger mon grand-père.

Même si les femmes étaient, individuellement, conformistes, le groupe de lecture était animé. Elles avaient des idées et des opinions qu'elles présentaient avec force, encouragées par le brandy de pissenlit de ma grand-mère. Il est même arrivé qu'elles soient âpres dans leur sympathie ou leur antiphathie envers Abel Magwitch ou, disons, M. Sykes.

Mon grand-père venait alors leur dire d'être moins bruyantes :

— Mesdames, s'il vous plaît !

Et les voix baissaient, et puis elles s'élevaient encore et il était vingt et une heures, le temps de rentrer à la maison.

Même si Lillian Schwartz était trop jeune pour en apprécier les causes, la passion qui animait la Société l'impressionnait.

À part ma grand-mère et la mère de Lillian, il y avait deux dames d'Oil City (une d'entre elles sentait l'eau de rose) et deux sœurs, Mme Ellen Benjamin (Oil Springs) et Mme Margaret Grossman (Petrolia).

Mme Ellen était riche, lisait les romans et donnait parfois son opinion, mais elle semblait plutôt être là pour s'occuper de sa sœur qu'elle traitait avec condescendance.

— Comment peux-tu être aussi stupide ? sifflait-elle

ou

— C'est la chose la plus idiote que tu aies dite jusqu'ici.

Ça avait un effet réducteur sur sa sœur. Une femme timide au départ, Mme Margaret donnait rarement une opinion qui ne fût l'écho de celle de sa sœur. Et même là, avant de parler, elle caressait sa broche d'améthyste et les doigts de sa main droite avaient presque toujours des sparadraps.

La plupart des femmes n'aimaient pas les manières autoritaires de Mme Ellen. Aucune d'entre elles n'avait un mari riche ou des rangs de perles et elles prenaient pour elles-mêmes l'attitude condescendante de Mme Ellen.

— Une péteuse de brou,

comme disait la mère de Lillian.

Ma grand-mère, d'autre part, était toujours sans équivoque du côté de Mme Ellen. Elle ne pouvait pas supporter la faiblesse de caractère. Elle persécutait Mme Margaret presque aussi souvent que Mme Ellen, rejetant ses arguments même quand elle était d'accord.

L'hiver 1948, lors de ce qui allait être la dernière réunion plénière de la Société, le roman à l'étude était un livre particulièrement dangereux : *Notre ami commun*.

Lillian et Katarina s'ennuyaient. Elles ont passé la soirée à tenter de boire du brandy dans les verres des femmes qui discutaient.

On dirait que le champ de discussion était très large.

M. Wrayburn était trop ceci, ou trop cela. Il était riche, mais son caractère était trouble. Il était antisémite, mais il était noble. Il était noble, mais indolent. Il était indolent, mais charmant. Et même si la fin de l'histoire était heureuse, Mme Margaret se posait des questions sur sa valeur en tant que mari.

Mme Ellen, blessée par cette insulte à un homme riche, commença à dénigrer les pauvres. Les pauvres — tout comme un certain *Monsieur* Grossman, le concierge à l'école St. Philip — n'avaient pas plus de qualité pour le mariage, avec leurs boules à mites, leurs bougies à un sou et leurs lampes au kérosène.

— Mais, Ellen, un homme n'est pas un porte-monnaie !

— Que connais-tu des porte-monnaie ? répondit sa sœur. Tu es pauvre comme la gale.

Mme Margaret tentait faiblement de maintenir sa position tandis que Mme Ellen et ma grand-mère montaient à l'assaut.

— Tu prends l'affaire personnellement, idiote.

Les petites filles regardaient sans y croire la Société tomber dans les invectives personnelles.

— Au diable l'argent !

— Au diable Oil Springs !

Ce seuil franchi, on ne pouvait plus revenir en arrière. Quel vilain langage. Même pour rire, c'était une insulte pour la maison de ma grand-mère.

Les autres femmes étaient étourdies par leur propre audace. Elles agressaient Mme Ellen avec une telle force qu'elle leur faisait face sans bouger, avec le mépris de celle qui est surpassée en nombre.

Pendant tout ce temps, Mme Margaret restait patiemment assise, ignorant la catastrophe, à répéter sa petite phrase :

— Mais Ellen, un homme n'est pas un porte-monnaie.

Comme s'il s'agissait encore de livres et de porte-monnaie.

— Tais-toi, siffla ma grand-mère,

sa voix se perdant presque parmi toutes les autres voix, et personne ne savait exactement qui elle voulait faire taire.

Et, au moment où M^me^ Margaret allait dire quelque chose, ma grand-mère s'est levée et l'a giflée.

Le silence s'est fait immédiatement. Les autres femmes étaient stupéfiées tandis que M^me^ Margaret répétait :

— Mais... mais... mais...

M^me^ Ellen s'est levée et a mis son manteau.

— Tu vois ? dit-elle à M^me^ Margaret.

Elle aida sa sœur à se lever de sa chaise, à enfiler son manteau et, sans un mot, elles sortirent de la maison.

On comprend que les membres de la Société Dickens aient dorénavant été nerveuses en présence de ma grand-mère.

Elles se sont réunies encore deux ou trois fois, mais sans enthousiasme ; il n'y eut aucune tentative de remplacer les deux sœurs.

Trois ans après sa création, la Société subit une mort silencieuse et indigne.

Pendant des années, des histoires ont couru au sujet de la honte de ma grand-mère. Elle avait craché au visage de M^me^ Ellen ; elle avait endommagé la voiture de M^me^ Ellen ; elle avait pincé M^me^ Margaret ; elle avait mordu M^me^ Margaret ; elle avait lancé des assiettes ; elle avait lancé de la nourriture. Était-elle vraiment apte à enseigner à des petits enfants ? Elle était un peu « dérangée », n'est-ce pas ?

La Société Dickens du comté de Lambton a rendu l'âme officiellement dans les premiers mois de 1949, et sa mort a dû être une humiliation pour ma grand-mère.

Ça a été une humiliation pour moi aussi.

J'ai finalement compris pourquoi certains adultes me traitaient avec une sollicitude particulière ou un mépris exagéré ; et pourquoi le concierge de St. Philip ne pouvait pas me blairer.

### 1.2 Mort de son mari

Mon grand-père, dont on m'a donné le nom, est une énigme. Je n'ai jamais entendu sa voix, il ne m'a jamais touché et, jusqu'à la mort de ma grand-mère, je n'avais aucune idée de son apparence.

La seule marque qu'il avait laissée était sa signature dans les livres.

C'est comme de suivre un étranger dans une librairie et de regarder les livres qu'il a touchés (Lucrèce, *Lexicon* de Liddell, les *Œuvres complètes* de Shakespeare, un livre de jardinage) ; parler avec ceux qui lui ont parlé (ma mère, ma grand-mère, M^me^ Schwartz).

— Qu'est-ce qu'il disait ? De quoi avait-il l'air ?

— Je n'arrive pas à m'en souvenir...

— Je me souviens pas...

— Il était gentil...

Que peut-on savoir d'une personne comme ça ? Il semble avoir été une personne aux connaissances larges, quoique vieillottes. La signature dans ses livres est toujours pâle, comme pour s'excuser. Et le vin et le brandy de pissenlits étaient des idées à lui, quoiqu'ils ont eu des effets plus pernicieux sur la vie de ma grand-mère que sur la sienne.

(C'est un fait que je sens quelque chose de sa présence en moi, mais c'est indéfini, l'absence d'autres présences.)

Pour moi, ce qu'il y a de plus important chez lui, c'est que pendant presque trente ans, de 1922 jusqu'à sa mort en 1950, il a vécu avec ma grand-mère, une femme qui n'était pas simple.

Elle l'aimait, lui.

Les détails de la mort de mon grand-père, pour lesquels il semble y avoir eu des témoins, sont les suivants :

1. C'était un jour ensoleillé. (Soleil *circa* 1950)
2. Mes grands-parents étaient à un coin de la rue Petrolia.
3. Mes grands-parents étaient en train de parler de quelque chose.
4. Mon grand-père est descendu du trottoir.
5. Il a été frappé par une voiture.

Ce serait réconfortant de laisser l'affaire là : un enchaînement d'événements avec drame, ambiance, tension et surprise. Mais ce qui fait que cette mort est une blessure, ce sont les circonstances qui entourent le moment, les détails des détails :

*C'était un jour ensoleillé*

Une donnée étrange, venue de Mme Schwartz. J'en conclus que la vision de mon grand-père n'a pas été diminuée par un phénomène naturel. Il aurait peut-être vu venir la voiture, si seulement il avait regardé, ou regardé dans la bonne direction. Quelque chose ou quelqu'un l'a empêché de regarder, ou l'a distrait. Il ne faisait pas noir, mais il y a la possibilité d'un autre type de noirceur.

*Mes grands-parents étaient à un coin de la rue Petrolia*

Quand on vient de Petrolia, il n'y a là rien d'étrange. Ils se trouvaient à un endroit qu'ils connaissaient intimement, prêts à traverser d'un point à un autre dans une rue qu'ils avaient traversée des milliers de fois, toutes les autres traversées sans conséquence. Il n'y avait rien de sinistre quant au lieu où ils se trouvaient, mais combien de fois ma grand-mère a dû se demander : pourquoi ici ? Et si nous avions traversé un peu plus loin ?

*Mes grands-parents étaient en train de parler de quelque chose.*

Une fois de plus, quoi de plus innocent ? Pendant une vie commune, ils se sont échangé tous les mots du monde. Mais est-ce qu'elle pourrait avoir été en train de le réprimander ? Et si c'est elle qui a distrait son attention pour qu'il ne voie pas la rue ? Eh bien, c'est une autre zone de noirceur : une ombre fournie par ma grand-mère elle-même.

*Mon grand-père est descendu du trottoir.*

Dans une interprétation de l'univers, ceci est un moment fatal pour trois personnes : ma grand-mère, ma mère, moi. Quand mon grand-père descend du trottoir et se tourne la tête vers sa femme pour lui dire : « Pardon ? » ou « Vraiment, Edna, je... », trois détresses prennent forme : les années de culpabilité et de solitude de ma grand-mère, l'ardente rébellion de ma mère et ma propre enfance. Nos vies se séparent à partir de ce moment-là, aussi clairement que s'il avait marché sur une vitre. Et alors...

*Il a été frappé par une voiture.* ... mon grand-père est mort...

Comme toutes les bonnes histoires, ça semble tellement plausible. Quelle merveille d'imaginer que sans ce mauvais pas, nos vies auraient pu être plus heureuses, que ma grand-mère m'aimait mais elle était distraite par une émotion plus forte...

Thomas : *(avec nostalgie)* Quand même ! Si le vieux avait regardé où il allait...

Le fait est que ça ne marche pas comme ça, même si c'est ce que moi je souhaiterais.

Edna MacMillan a dû souffrir le martyre en voyant l'homme qu'elle aimait mourir devant elle. (Elle s'était mariée tard, à trente ans, assez vieille pour savoir pourquoi elle le voulait et, à cinquante-huit ans, elle était assez vieille pour comprendre ce qu'elle perdait.) Il est possible que cela l'ait menée à boire plus et ait commencé le désaccord entre elle et sa fille.

Mais tout cela n'est qu'une modeste spéculation ; les détails sont tellement imaginaires qu'ils forment une sorte de fiction dérisoire et thérapeutique.

Comment affirmer que nos vies auraient été plus heureuses si mon grand-père avait vécu ? Comment savoir comment s'est sentie ma grand-mère : coupable ? soulagée ? indifférente ? Elle ne m'a jamais parlé de la mort de son Thomas.

Même si je sens l'importance de cette mort pour nos vies, les seules choses que j'en sache sont : soleil, rue, conversation, pas, voiture, Mort.

Pour certaines versions de la mort de son père, Katarina insistait que c'est sa mère qui avait poussé son père sous les roues de la voiture.

Dans d'autres versions, elle y était, témoin horrifié de douze ans.

Dans d'autres encore, elle était à l'école et M. Lapierre l'a fait venir de la classe, et il s'est penché en plaçant la main sur son épaule et il parlait tellement bas qu'elle n'a pas compris qui était mort.

Il faut me comprendre, ma mère n'était pas une menteuse. Ç'aurait été trop facile. C'est plutôt qu'au cours des années elle a raconté d'innombrables versions des incidents qui la contrariaient.

Je considère le nombre et la variété d'interprétations de la mort de son père comme une preuve du trauma qu'elle lui a causé. Son imagination n'en avait jamais fini avec cette mort.

La vie de ma mère a été si pleine de bouleversements. Je suis heureux qu'elle ait trouvé le moment de paix pour accoucher. Et même là, la décision de ne pas avorter de moi est typiquement contradictoire. Cela montre son côté romantique, son goût intense mais intermittent pour l'Amour, la Famille et le Foyer.

Qu'est-ce que je raconte ? Je ne suis pas vraiment reconnaissant pour ma naissance, mais je peux imaginer la joie têtue de ma mère quand elle pensait à moi.

Cela est d'autant plus surprenant, d'ailleurs, que la jeune fille dont Lillian Schwartz se souvenait est quelqu'un de complètement différent, une bonne amie, constante et sans peur.

C'est comme ça que je l'ai vue au début.

Chaque fois que j'ai demandé à Mme Schwartz si le Petrolia de ma mère était le même que celui où je vivais, elle répondait :

— Rien ne change.

Si j'insistais et lui parlais d'une chose ou de l'autre, d'un nouvel immeuble, disons, ou d'une belle maison, elle disait :

— Plus ça change...

Une idée que j'ai pris des années à comprendre, et je ne suis pas sûr de la comprendre.

Je voulais aller où ma mère était allée, pour y découvrir ce qu'il y aurait de Katarina dans ces endroits, mon instinct me disant que Petrolia, la ville elle-même, ses arbres et ses ponts, ses champs et ses maisons, était notre lieu de contact. J'ai donc été déçu par le fait que Lillian Schwartz n'en savait pas autant sur l'enfance de ma mère que je l'aurais espéré.

Mais Lillian et Katarina étaient dans la même classe à St. Philip, avec des filles qui s'appelaient Eunice et des garçons qui s'appelaient Michael.

— Cinq Michael rien qu'en troisième année.

Les maîtres, y inclus ma grand-mère, étaient stricts et catholiques.

Elles allaient à l'église St. Philip, à la remorque de leur mère.

(Ma grand-mère catholique ? Toute une surprise.)

Leurs maisons étaient certainement différentes.

Lillian était la plus jeune de quatre enfants, et même si sept ans la séparaient de son aîné le plus proche, elle n'était jamais seule. Il y en avait d'autres desquels sa mère pouvait raffoler : quatre pour se partager le poids de l'attention parentale.

M. Martin était facteur depuis quatorze ans quand Lillian est née, il avait été facteur trente-six ans quand il est mort ; c'était un homme affectueux. Il était court et rond et il avait toujours les cheveux en brosse. Il avait une voix divine, un ténor superbe qui chantait pour ses enfants en les mettant au lit. Un des regrets de M$^{me}$ Schwartz était qu'à l'âge fier de onze ans elle lui a demandé d'arrêter de chanter car elle était trop vieille pour les berceuses.

Mme Martin, dont la relation avec ma grand-mère n'a pas survécu à la disparition de la Société Dickens, était plus circonspecte avec Katarina. Elle comprenait que ça pouvait être difficile de vivre avec Edna MacMillan. Elle était même chaleureuse, mais il y avait de l'Edna dans Katarina, et cela la troublait.

— Attends, tu vas voir, Katarina va cesser d'être une petite sainte.

Mme Martin était préoccupée par une certaine tendance chez les Noirs, une tendance qui allait sûrement apparaître, quelles que soient les qualités apparentes de Katarina. Katarina était encore plus foncée qu'Edna et regarde Edna... elle avait amené les gens à la traiter comme une Blanche et on sait ce que ça a donné, comme il faut le demander à la pauvre Mme Margaret qui, toute réflexion faite, ne méritait pas d'être giflée et battue.

— Un chat échaudé...

## 2.1 Elle est bonne

Ma mère a révélé sa générosité pour la première fois à l'âge de onze ans, quand les deux fillettes avaient le béguin pour Michael Stone.

Michael vivait deux rues à l'ouest de la rue Grove. Lui aussi allait à l'école St. Philip. Il n'avait rien de remarquable physiquement et il n'était pas particulièrement mignon, mais il était plus gentil que les autres garçons de septième année.

Peut-être qu'il n'était pas gentil du tout. C'est que ses lunettes, la monture de ses lunettes, suggérait une certaine délicatesse, et de plus, il était extrêmement timide, comme on peut s'attendre d'un garçon qui ne voit rien sans ses lunettes.

Elles le soupçonnaient d'« avoir un passé », un soupçon extraordinaire pour un garçon de onze ans. Elles prenaient son manque d'intérêt pour les filles pour preuve d'un côté tragique.

Les filles ont découvert leur intérêt partagé pour Michael en révisant la liste des enfants de leur classe pour décider de qui elles aimaient et qui elles n'aimaient pas.

C'était un rituel hebdomadaire, parfois quotidien :

— Cindy ?

— Elle est bien.

— Pauline ?

— Je l'aime bien.

— Moi aussi.

— Donna ?

— Je l'aime bien.

— As-tu remarqué comment elle...

Et au moment d'arriver au troisième ou quatrième Michael, celui assis près de la fenêtre, Katarina dit :

— C'est un rêve.

Lillian dit :

— C'est un vrai rêve.

Elles passèrent des heures à discuter qui des deux l'aimait le plus. Est-ce que Kata l'aimait plus que Terry Johnson ? Un petit peu plus... Est-ce que Lillian l'aimait plus que Frank Moore ? Un petit peu plus...

— Est-ce que tu... (embrasser)

— Est-ce que toi tu...

— Et est-ce que tu... (embrasser en public)

— Non ? Est-ce que toi tu... ?

— Peut-être... selon les circonstances...

Au bout de profondes considérations, Kata décida que c'était Lillian qui aimait vraiment Michael.

Non seulement elle s'est retirée de la compétition pour son affection, mais elle a réussi à persuader Lillian que ce dont ils avaient besoin, Michael et elle, c'était d'un peu de « temps à deux ». Elle a été tellement persuasive que Lillian, qui n'avait pas réalisé la profondeur de son sentiment, a commencé à rêver aux moments qu'elle aurait avec lui.

La difficulté, c'était Michael lui-même.

Elles s'imposèrent à son attention, mais il résista à leurs attaques, répondant benoîtement aux questions les plus coquettes.

— Que penses-tu de la robe de Lillian ?

— Est-ce que les yeux de ta mère sont aussi verts que les tiens ?

Il ne refusait jamais de marcher jusqu'à la maison avec elles, mais il ne disait presque rien. Il n'était pas vraiment songeur, mais on aurait pu dire qu'il était songeur.

Il semblait sans passions, n'avoir rien dont il souhaiterait parler ; quoique à certains moments il réagissait à des bateaux. C'est-à-dire qu'il lui était arrivé d'offrir une opinion sur la construction de navires ou la navigation à voile. Il aurait été difficile d'appeler ça une passion. Il n'avait jamais dépassé une timide remarque sur le *Bluenose* ou le *Reine Élizabeth*, mais c'était suffisant pour Kata.

Dans un geste qui paraîtra, chez une enfant de onze ans, particulièrement réfléchi, elle persuada Lillian de porter du bleu le plus souvent possible : des chaussures bleues, des barrettes bleues, des chaussettes bleues.

Puis elle demanda elle-même au père de Lillian comment on faisait pour construire un bateau dans une bouteille. De la manière qu'elle parlait, on aurait cru qu'un bateau dans une bouteille était ce qu'elle désirait le plus au monde, quoiqu'elle doutait que cela puisse être réalisé par quelqu'un d'autre qu'un expert.

C'est cette partie que je trouvais la plus admirable. M. Martin n'était pas un adulte difficile d'accès. Il aurait fait n'importe quoi pour plaire aux enfants. Mais les variables...

Premièrement, est-ce que M. Martin tomberait dans le piège qu'elle lui tendait ? (Oui) Deuxièmement, est-ce qu'il pourrait vraiment construire un bateau dans une bouteille ? (Oui) Troisièmement, combien de temps lui faudrait-il ? (Un mois) Quatrièmement, est-ce que la réplique mise en bouteille d'un galion suffirait à faire sortir Michael de sa coquille ? (Alors là...)

Quand le bleu des vêtements de Lillian eut eu le temps de réussir son effet d'enchantement, et quand M. Martin eut terminé son galion minuscule et légèrement biscornu, qui s'entrechoquait dans sa bouteille vert foncé, Katarina mentionna le bateau comme par hasard pendant que les trois rentraient à pied à la maison.

Est-ce que Michael n'aimerait pas le voir de près ?

— D'accord, dit-il.

Cette histoire m'a fasciné pendant des années. Non seulement elle concernait ma mère, mais il y avait dans la tactique développée par ma mère un sens du détail que je partageais, quoique je n'aurais jamais eu l'idée de mettre une telle précision au service d'une question personnelle :

| | |
|---|---|
| Soit : | Michael Stone, dorénavant (Mst) |
| | Lillian Martin, dorénavant (LM) |
| Variables : | M. Martin (MrM) Navires (N) Bleu (B) |
| Cadre : | Résidence des Martin (RM) |

*Problème :* *En utilisant les éléments donnés, et les variantes dont on dispose, est-il possible de combiner (Mst) et (LM) sans affecter négativement le cadre donné (RM) ?*

Même maintenant, puisque je sais qu'elle a échoué en math et en géographie et qu'elle n'a probablement pas vu les choses tout à fait de cette façon, je suis quand même rempli d'admiration.

Il y a, dans tout calcul intense, un tel besoin de tranquillité, que j'ai presque pitié d'elle.

Et le résultat de sa planification a été, en effet, « (Mst)=(LM) ».

Michael est entré chez les Martin en s'attendant à voir un bateau. Les parents de Lillian n'étaient pas là et le galion, habituellement placé sur la cheminée, se trouvait comme par hasard dans la chambre de Lillian.

Et quand Katarina les a laissés ensemble, sous le prétexte de se préparer un sandwich de beurre d'arachide mais avec la raison de surveiller le retour de M. et Mme Martin, Lillian et Michael se sont éventuellement embrassés.

Mme Schwartz : La première d'une longue chaîne de déceptions.

Thomas : Mais pourquoi ?

Mme Schwartz : (*sourire mystérieux*) Tu verras.

Si le baiser a déçu Lillian, il a été une révélation pour Michael.

Du moment où leurs lèvres se sont touchées, il a perdu pied. Il s'est mis à suer ; ses lunettes ont glissé ; son visage s'est empourpré et, ne sachant que faire de ses mains, il les a placées sur sa tête.

Tout cela a ajouté à la déception de Lillian. Et dans cette déception apparaissaient les signes de leur erreur de jugement. Katarina et elle avaient pensé que la douceur de Michael cachait une tristesse, que ses silences tenaient d'une réflexion comme celle des héros silencieux des livres qu'elles avaient lus. Maintenant, elle pensait qu'il serait venu chez Lillian sans le complot compliqué élaboré par Katarina.

Lillian ne savait pas pour autant que le baiser de Michael n'était pas un « vrai » baiser. C'était le premier baiser. Mais constater qu'il était ordinaire : ni mignon, ni drôle, ni rêveur : c'est *ça* qui était difficile à supporter.

Après ça, embrasser Michael c'était comme embrasser un poisson.

En fait, Kata avait beaucoup fait pour Lillian, et l'intensité des sentiments de Michael n'était pas sans la mettre en valeur. C'était même un peu enivrant. Alors, quand le baiser s'est enfin terminé et que Michael a été expulsé de sa chambre, puis persuadé de rentrer chez lui, et quand Kata a demandé :

— Dis-moi, dis-moi...

Lillian a fait un compte rendu vertigineux de l'intermède.

— Ah, c'était tant... il est si...

— Je le savais !

Pendant les dix mois qui ont suivi, soit jusqu'à ce que les Stone partent pour Smiths Falls, Lillian a, à la grande satisfaction de Katarina, permis de temps à autre à Michael de presser ses lèvres sur les siennes.

## 2.2 Elle est sans peur

J'ai écrit plus tôt qu'en consignant ma vie, je craignais de glisser dans la poésie.

Tu aurais pu croire, vu ma longue relation avec l'art, que je serais en paix avec la poésie. La poésie m'a épargné une correction. Ma grand-mère me l'a fait apprendre par cœur, une discipline qu'elle avait aussi imposée à Katarina. C'est donc un grief que ma mère et moi partagions.

C'est aussi une des choses que Henry préférait parmi toutes.

Cela me fait mal d'en lire, cependant. C'est un gouffre. Quand je t'ai vue pour la première fois, par exemple, j'étais parfaitement heureux, en train de lire les *Carnets de Samuel*

*Butler*. Tu lisais les poèmes d'Ossip Mandelstam. J'ai vu le livre avant de te voir. Tu tenais éloignées les couvertures grises, le petit doigt de ta main droite courbé comme un escargot. (J'adore tes mains.)

Aussitôt que tu es partie, j'ai ramené le Mandelstam de mon côté de la table ; j'étais curieux :

*Pas besoin de parole*
*Ni d'enseignement ;*
*Comme elle est triste et belle*
*L'âme obscure et brutale.*

J'ai lu et relu ces vers, en tentant de nous voir tous les deux, tête contre tête, un qui les lit, ou les deux qui les lisent ensemble. Et je me suis soudain senti désorienté ; désorienté comme à la dérive.

Qu'est-ce qui peut bien mener quelqu'un de la parole à l'enseignement, de la tristesse à la beauté, puis de la beauté à l'âme ?

Et qu'est-ce que ça peut bien être, une « âme obscure et brutale » ?

Je comprenais les mots, mais je ressentais autant ma détresse que ma compréhension. Je me demandais d'où venait ma compréhension. Est-ce Mandelstam qui lui donne sens ? Est-ce que les mots eux-mêmes ont un sens ? Ou est-ce chaque individu, finalement, qui donne son propre sens aux vers ?

On peut bien sûr s'arracher les cheveux pendant des années et ne pas résoudre cette question. Et le deuxième quatrain n'aidait pas :

*Elle n'a rien à enseigner*
*Et elle ne peut parler*
*Mais comme un jeune dauphin*
*Elle nage dans l'abîme gris et sombre.*

Fin du poème.

Mais d'où peut bien sortir ce dauphin ? Comment peut-on passer d'âme à dauphin ? Plus je me forçais à rapprocher « âme » et « dauphin », plus je m'éloignais du monde extérieur.

Peut-être ai-je appris quelque chose à mon propre sujet ; que je pouvais les rapprocher, que pour un instant, justement là, mon âme nageait dans l'ombre.

Une expérience particulièrement désagréable.

La poésie a toutes les qualités qu'on veut, s'il faut des raisons pour entrer en soi ; mais, comme tu le sais, j'ai toujours eu besoin de raisons de sortir. (Le nombre de fois où tu as tenté de me faire porter mon attention vers le monde, et le nombre de fois où j'ai résisté. Jusqu'à ce que je te connaisse, le *Ottawa Citizen* était tout ce que je pouvais prendre du monde.)

Je ne suis pas le seul, d'ailleurs. Ma grand-mère n'aurait jamais dû lire un seul vers. Lampman a été son gouffre choisi, quand elle était encore assez lucide pour choisir — peu de différence entre le vin et la poésie, quand j'y pense, elle s'en serait mieux tirée sans l'un et sans l'autre.

J'ai peut-être raté quelque chose.

Peut-être que pour toi la poésie n'est pas une abstraction, mais c'est la confusion enivrante du poème qui me rend nerveux.

Après la mort de son père, Katarina a changé.

Il est mort quand elle avait douze ans et on aurait pu s'attendre à un peu d'introspection et de mélancolie, mais le contraire s'est passé. En se détournant des gens de son entourage, elle devint encore plus extravertie, plus animée, moins réservée.

J'ai eu de la difficulté à comprendre ce changement jusqu'à ce que je connaisse ma mère :

Katarina : *(doucement, elle élevait rarement la voix)* Tu as des talons bien durs... Laisse-moi voir tes pieds... Ne bouge pas.

Thomas : Tu me fais mal.

Katarina : Ça ne fait pas mal. Tout le monde sait que les enfants et les animaux n'ont pas mal. Ta colonne vertébrale n'est pas assez développée.

Typique de ma mère. Elle coupait mes durillons avec un rasoir. Ça faisait mal et je m'objectais à son manque de sympathie, mais mes talons s'étaient fendus et saignaient. Que pouvait-elle faire d'autre ?

Chose surprenante, j'étais tellement intrigué par l'idée que ma colonne vertébrale était sous-développée que je ne bougeais pas.

Katarina : Bon. Maintenant mets tes chaussettes.

Ce que je veux dire est que tout comme la tristesse après la mort de son père s'était exprimée d'une façon inhabituelle, son affection pour moi s'exprimait de la même façon. Et je sais que la surface ne reflète que rarement les profondeurs ; chez ma mère, c'était encore plus vrai.

Quand elles eurent seize ans, sans discussion, sans même se mettre d'accord pour aller chacun son chemin, Lillian et Katarina allèrent chacun son chemin ; et ce même si Katarina avait commencé à passer plus de temps chez les Martin que chez sa propre mère.

Edna et elle étaient passées d'une tolérance consciencieuse à une hostilité ouverte.

Ça aurait été cruel de la part de ma mère de quitter complètement la maison. Tout le monde en ville connaissait

Katarina *et* sa mère. Où pouvait-elle aller sans porter atteinte encore plus à la réputation d'Edna MacMillan ? L'assaut légendaire de ma grand-mère contre M<sup>me</sup> Grossman datait à peine de cinq ans. Katarina avait assez de cœur pour ne pas ajouter à cette honte.

Alors, même si elle avait ses propres horaires, elle dormait chez sa mère ou, aussi souvent que c'était acceptable, chez les Martin.

D'être chez les Martin ne la libérait pas pour autant des inconvénients de la maison.

M<sup>me</sup> Martin n'avait jamais vraiment accepté Katarina. Celle-ci lui était devenue même moins sympathique maintenant qu'elle manifestait des signes évidents d'être Noire : des horaires qui lui étaient propres, peu d'attention aux tâches scolaires, trop de temps passé avec les Thériault et les Maisonneuve, deux des familles les plus pauvres de la ville.

Lillian : Ils n'étaient pas pauvres, ils étaient Français. Et même là ; les enfants n'en parlaient pas un mot, mais les parents avaient un accent français. Ma mère ne leur a jamais fait confiance. Elle était comme ça, Thomas. Mon propre père était Canadien français !

M<sup>me</sup> Martin se préoccupait de l'influence de Katarina sur sa fille. C'était le problème. Même si elle n'en parlait jamais directement et n'a jamais repoussé Katarina, il y a des choses qu'elle faisait pour passer le message. Elle posait des questions insidieuses :

— Comment va ta mère, Kata ? Est-ce que tu la vois souvent ?

ou bien

— Tu es tellement grande pour ton âge. Penses-tu vraiment à quitter la maison ? Nous avons si peu de place ici...

Elle faisait exprès pour ne pas servir Katarina à table :

— Ah ! Je n'avais pas remarqué que tu restais à dîner ; je m'excuse, Kata.

Elle grommelait continuellement, en ne s'adressant à personne en particulier, au sujet des tonnes de linge à laver.

Il aurait fallu être bien imbécile pour ne pas comprendre.

Et Katarina n'était pas imbécile.

Les deux filles ont connu leur dernier moment d'amitié quand elles avaient seize ans.

En juillet, peut-être en août, une nuit chaude. Les deux ensemble, elles lisaient.

Elles lurent très tard et la maison était silencieuse.

M. et M^me^ Martin dormaient et Lillian avait déjà mis son pyjama quand Kata dit :

— Et si on allait dehors ?

Une autre chose qu'elles n'avaient pas faite depuis longtemps : sortir et regarder les étoiles. Pensant qu'elles n'iraient que dans la cour, là où son père venait de construire des fauteuils en bois, Lillian enfila une vieille robe, une chemise défraîchie et ses espadrilles.

Heureusement qu'elle avait des chaussures parce que cette sortie s'est transformée en longue marche à travers la ville endormie : au clair de la lune, les maisons comme des images face au ciel.

C'est la première fois que Lillian trouva la ville presque exotique, même si elle connaissait chacune des maisons par cœur et chacun de ceux qui les habitaient.

Elles ont marché deux kilomètres vers l'extérieur de la ville, presque en silence, en retenant leur rire près du verger de pommes des MacPherson :

— Les chiens les plus féroces pour les fruits les plus médiocres.

Elles arrivèrent à la carrière, un trou rempli d'eau de pluie, un autre étang où se noieraient les jeunes de la région puisqu'il n'avait pas de rivage, pas de pente inclinée, rien que l'étang qui avait trois mètres, dix mètres, la profondeur de l'océan, on ne savait pas.

Ça n'est pas Lillian qui a eu l'idée de nager. Elle connaissait deux des enfants qui s'étaient noyés là. Katarina s'est déshabillée et a plongé dans l'eau.

— Viens, dit-elle, l'eau est bonne.

Ç'aurait été trahir de rester sur le bord à regarder, alors Lillian s'est déshabillée elle aussi. Ce qui servait de rivage était parsemé de pierres. Elle marcha sur la pointe des pieds et se glissa dans l'eau. L'eau était tiède. L'air était embaumé du parfum des herbes. La lune brillait.

C'était excitant et ça n'était pas seulement la chaleur, la lune, les étoiles qui la ravissaient. C'était de nager avec Katarina, leur jeune corps enveloppé dans...

Thomas : Vous étiez toutes nues ?

Mme Schwartz : Bien sûr. Ta mère était une très jolie jeune femme. Bien plus belle que moi.

Elles nagèrent jusqu'à épuisement, puis elles sortirent de l'eau et se rhabillèrent.

Bras dessus, bras dessous, elles rentrèrent en longeant les mêmes champs et les mêmes fermes, le barbier et la boulangerie, les rues pavées, là où dans leur maison obscure vivaient les Lafleur et les MacDonald, les Del Monico et les Smith, les Smyth, les Howard, les Wilson...

Elle était sûre que personne ne les avait vues, même si elle était tellement heureuse qu'elle s'en fichait.

Deux filles qui nagent : un moment de pur plaisir innocent.

Lillian Schwartz n'a jamais su comment ses parents avaient appris qu'elle était allée jusqu'à la carrière, mais ils ont vu l'affaire sous un jour bien différent.

Pour Mme Martin, c'était comme si sa fille était partie pour la déchéance. Seulement les moins que rien allaient à la carrière ; et cette affaire de nager toute nue avec Katarina et Dieu sait qui d'autre, c'était innommable.

L'accès à leur maison était dorénavant interdit à Katarina MacMillan.

M. Martin, même s'il aimait bien Katarina, opinait du chef quand la condamnation est tombée. Les empoignades à la carrière, ça n'était pas acceptable.

— Tout ce que nous avons fait, c'est nager !

— Rien que nager ? répondit Mme Martin. Heureusement ! Et quoi d'autre ? Rien que boire ? Rien qu'embrasser ? Rien que...

C'est la dernière fois qu'ils ont parlé de Katarina.

Au moment d'apprendre son bannissement, ma mère a regardé Lillian et a dit :

— Et alors ?

Ses derniers mots à un membre de la famille Martin.

La fin de leur amitié a brisé le cœur de Lillian.

Elle ressentait bien sûr l'injustice de l'attitude de ses parents, mais le refus de Katarina de lui parler la blessait tout autant, un peu comme si elles avaient été amoureuses l'une de l'autre. Et puis la question restait posée : qui les avait vendues ?

J'ai moi-même réfléchi à cette question.

*Si* l'histoire est vraie et *si* personne ne les a vues traverser la ville et *si* Lillian n'a parlé à personne de leur baignade, alors la mort de leur amitié est fort probablement due à Katarina.

Mme Schwartz était trop gentille pour le dire, mais je sais qu'elle blâmait ma mère.

Quant à moi, je sens vraiment la présence de ma mère dans toute cette affaire, mais je ne sais pas quel intérêt était servi.

Si elle souhaitait rompre avec les Martin, pourquoi aller nager ? Si elle voulait nuire à la réputation de Lillian, pourquoi aller jusqu'à la carrière ? Un mensonge aurait suffi.

Il manque trop de pièces au puzzle. Je n'en saisis pas la logique.

### 3. Mme Schwartz et la bougie la nuit

C'est étrange que j'aie si peu de souvenirs de Lillian Schwartz elle-même.

C'était une femme généreuse et fascinante. Dès le début, j'ai été ensorcelé par ses histoires au sujet de Katarina. Je les ai d'abord entendues quand j'avais six ou sept ans et grâce à ces histoires, grâce à Lillian, je sentais une amitié pour ma mère. Je me souviens de la couleur des yeux de Lillian Schwartz, de la couleur de ses cheveux... Mais quant à ça, je me souviens encore mieux de sa maison et de chacune de ses pièces...

Surtout, je me souviens des rumeurs qui l'entouraient.

Ce sont les filles Goodman qui m'ont appris l'importance de vivre à côté d'une sorcière. Si Mme Schwartz était une sorcière, ce qui faisait la quasi-unanimité chez les enfants du voisinage, il fallait donc que je cherche ce qui suit :

*i. Des enfants enlevés, leurs cris*

Puisque les sorcières mangeaient les enfants, il fallait bien que des enfants disparaissent. Si jamais j'avais le courage de mener une recherche, je les trouverais probablement dans la cave des Schwartz. Et si je restais éveillé tard la nuit, quand la ville est silencieuse, il est très probable que j'entendrais leurs plaintes tant notre maison était proche de la leur.

*ii. Les odeurs*

Morts ou vivants, les enfants enlevés auraient une odeur qu'il serait difficile de cacher. Et comme les sorcières ne pouvaient pas manger tout un enfant tout d'une traite, il y avait sûrement des bocaux de verre partout : des bocaux de doigts, d'orteils, de trucs... Les plus gros morceaux, comme par exemple les mains et les pieds, seraient dans des contenants Tupperware... Il faudrait mettre les bras et les jambes dans le frigo, quoique ça n'empêcherait pas l'odeur. Il fallait donc s'attendre à ce qu'elle utilise des parfums exotiques, des désodorisants, n'importe quoi pour camoufler ses macérations.

*iii. Les chats*

Un compagnon essentiel ; habituellement noir ; quoiqu'un chien noir ferait l'affaire.

*iv. Divers*

Voici une liste de preuves possibles, quoiqu'on ne peut compter sur chacune d'entre elles car les sorcières ont évolué avec le temps : un long nez, un menton protubérant, un chapeau noir, des vêtements noirs, des livres noirs, des balais, des chaudrons, des champignons vénéneux, des chèvres, des danses effrénées autour d'un feu en plein air...

Difficile d'imaginer comment M^me^ Schwartz a acquis sa réputation auprès des enfants de la rue Grove.

Elle était vraiment ancrée dans la place, une vraie citoyenne qui était née à Petrolia. Elle était partie épouser un homme de Strathroy, bien sûr, mais elle était vite rentrée. Sa famille était bien connue. On se souvenait encore avec affection de son père longtemps après sa mort. Même sa fille, qui aurait pu souffrir de sa proximité, a été acceptée avec plus de chaleur qu'elle. Personne n'a cru qu'Irène était méchante, seulement malchanceuse.

C'est bien vrai que si quelqu'un cherchait la sorcellerie, on pouvait presque la trouver. Il n'y avait pas d'enfants cachés dans sa maison, mais il y avait des bocaux de verre sur des tablettes partout dans la cave, des bocaux pleins de plantes et de racines qui ressemblaient à des doigts et à des mains. La maison avait l'odeur de ce qu'elle cuisinait, mais elle se parfumait au patchouli, un arôme bien exotique pour l'époque. (Je veux dire par là qu'après qu'elle me l'eut nommé et qu'elle m'eut encouragé à renifler sur son poignet, ce n'est qu'en sa présence que j'ai senti le patchouli.) On ne voyait pas de livres noirs, sauf une bible, mais elle en avait un qui montrait des loups marchant sur leurs pattes arrières.

Pendant les premiers mois après le déménagement des Schwartz dans la maison voisine, j'ai cherché des raisons d'étayer mes peurs. Ma peur n'a cependant que brièvement nourri mon imagination. Elle n'a pas survécu aux premières conversations au sujet de Katarina.

Je mentionne tout cela pour expliquer pourquoi, la nuit, je restais éveillé à l'écoute de voix d'enfants qui se plaignaient. Et c'est pendant l'une de ces nuits que j'ai acquis le seul souvenir vivant de M^me^ Schwartz elle-même.

La fenêtre de ma chambre donnait sur la cour des Schwartz. Je voyais l'arrière de leur maison, presque toute la cour et, les fenêtres ouvertes, je pouvais respirer les parfums de leur jardin : marjolaine, fenouil, cerfeuil, persil...

Ce soir-là, longtemps après l'heure de mon coucher, je n'étais pas encore endormi. La maison était silencieuse et suffocante. De mon point de vue, je pouvais observer une bougie qui vacillait dans la fenêtre de la cuisine des Schwartz. J'étais fasciné, ne serait-ce que parce que je croyais que les rideaux de dentelle allaient prendre feu.

J'entendais le vent dans les arbres, un bruit qui m'a toujours apaisé. J'aurais même pu tomber endormi sur le bord de ma fenêtre, le regard tourné vers les étoiles, à écouter le vent mais, comme cela arrive quand on est à la frontière du sommeil, j'ai soudainement réalisé que j'entendais des voix.

Je n'aurais pas pu dire depuis combien de temps elles parlaient ni depuis combien de temps je les écoutais, mais elles étaient là. L'une des voix était celle de Mme Schwartz; l'autre était familière, mais ce n'est que quand elle s'est avancée dans la lumière de la lune que j'ai reconnu Mme Goodman.

Déjà, cela était particulier. Il me semble que je ne les avais jamais vues ensemble; je n'avais pas réalisé qu'elles étaient proches; mais elles étaient bien là, leur voix trop basse pour que je saisisse autre chose qu'un mot par-ci, par-là; l'une à côté de l'autre, épaule contre épaule, à regarder le jardin.

Et puis il y a eu un bruit soudain, bref, sec, comme une branche qui se brise.

Les deux ensemble, les femmes ont regardé dans ma direction. Elles ne pouvaient pas me voir, mais dans mon imagination leur visage était tordu de colère. Je me suis rapidement éloigné de la fenêtre, j'ai bondi dans mon lit, terrorisé.

Quand mon cœur s'est un peu tranquillisé et quand j'ai eu le courage d'aller sur la pointe des pieds jusqu'à la fenêtre, les femmes étaient parties.

On entendait encore le vent et la bougie brûlait.

Je ne sais pas pourquoi un incident aussi banal reste dans ma mémoire, mais c'était tellement précis et insolite, comme un rêve.

C'était comme un rêve à l'époque. Cela paraît encore plus improbable maintenant, même si je me souviens très clairement du visage de Lillian tourné vers moi, et je peux presque voir la flamme de la bougie qui s'élève et qui tremble.

# IV

Pour moi, les Goodman sont associés à la mort, même s'ils étaient tout autre chose dans les faits.

J'étais chez les Goodman quand ma grand-mère est morte ; ou plutôt, c'est à eux que j'ai demandé de l'aide quand j'ai découvert son corps refroidi.

J'étais entiché de Margaret Goodman, mais notre relation naissante est morte en même temps qu'Edna et avec le retour de ma mère.

Le retour de ma mère a eu pour conséquence de tuer la Katarina MacMillan que j'avais inventée à partir des éléments et anecdotes tirés de la mémoire de Madame Schwartz.

Finalement, la maison des Goodman est le dernier immeuble que je me suis donné la permission de regarder pendant que nous quittions Petrolia. J'ai regardé leur maison de la voiture, en espérant entrevoir Margaret ; puis, quand je l'ai vue en route pour l'école avec ses sœurs, j'ai fermé les yeux pour que son image soit la dernière que j'emporte avec moi.

Rien que de la mort tout autour, alors. Depuis mon premier amour jusqu'au retour de ma mère via la sortie d'Edna.

Je me souviens de chaque détail du visage de Margaret Goodman. Je m'en souviens précisément, je pense, même si ça doit faire trente ans qu'il ne ressemble plus à ce dont je me souviens.

En fait, même à l'époque, le visage de Margaret n'était pas le visage de Margaret. Toute une révélation, pour un enfant de neuf ans, de découvrir que Margaret n'était Margaret que sous un angle particulier, ou qu'elle était encore plus Margaret quand je ne regardais plus son visage. Sa voix était constante, tout comme son odeur (jus d'orange). Elle avait une garde-robe prévisible et sa propre façon de marcher, mais son visage était imprévisible.

Je ne veux pas dire qu'elle faisait des moues, ou qu'elle avait des tics. Je trouvais drôles les enfants qui pouvaient faire des grimaces, mais c'était surtout des garçons : Nick Jacob, Mark Gould, Peter Corrigan... Et je ne veux pas dire que ses traits étaient anormalement mobiles. Quel que soit l'angle sous lequel je la regardais, il y avait des constantes : la couleur des iris, les sourcils foncés, la longueur des cils. Ces choses (iris, sourcils, cils) avaient leur place dans tous ses visages, mais quand je la regardais vraiment, c'était comme si elles étaient toujours placées hors contexte.

Je trouvais cela traumatisant.

À l'âge de neuf ans je faisais déjà la distinction entre une sauterelle femelle et une sauterelle mâle. Je savais que les mâles étaient ceux qui stridulent, mais je savais aussi où regarder pour trouver les tarières, je faisais la distinction entre le labre et le labium, entre l'ocelle et le coxa.

Ça n'était pas simplement un point d'orgueil pour moi, c'était aussi une question pratique.

Premièrement, pour ma grand-mère, la connaissance, même la connaissance de choses obscures, justifiait le temps passé à la bibliothèque publique. J'avais la permission de rester aussi longtemps que je voulais à la bibliothèque publique, mais uniquement si je pouvais, au retour, donner une preuve que je n'avais pas passé mon temps dans les « ordures sexuelles ». Alors, quelles qu'aient été mes lectures, d'Astérix à Ian Fleming, j'apprenais par cœur un petit quelque chose de la *Collier's Encyclopedia* avant de rentrer à la maison. (Je me souviens encore aujourd'hui de peu de choses aussi belles que le dessin en coupe du papillon *pieris brassicæ*, ou du pou humain, *pediculus humanus*.)

Deuxièmement, d'apprendre la différence entre les pattes avant et les pattes arrière m'a rapproché de certains insectes que j'adorais.

Alors, quand je suis devenu conscient de la découverte de cette particularité du visage de Margaret, j'ai cru que quelque chose ne tournait pas rond chez moi, et non chez elle. Non pas que les visages puissent être comparés aux insectes, mais les « caractéristiques distinctives » étaient l'objet d'une passion pour moi, et cela me préoccupait que le visage de Margaret soit si rarement lui-même.

Je ne ressentais aucune anxiété au sujet des autres visages. Le visage de ma grand-mère, même s'il était tout aussi changeant, n'était que le visage de ma grand-mère, qu'elle soit ivre ou sobre, assise ou en train de marcher, essoufflée ou à regarder la télévision. Ce n'était pas son visage qui causait de l'anxiété chez moi.

Cet aspect de mes sentiments par rapport à Margaret Goodman est celui qui a le plus d'écho dans le Temps. C'est-à-dire que je suis convaincu que les femmes par lesquelles j'ai été attiré avaient toutes en commun certaines caractéristiques faciales : yeux, sourcils, cils. Je peux suivre la trace de ces caractéristiques de Margaret (la première) jusqu'à Judita (l'avant-dernière). Non pas qu'elles se ressemblaient, mais leur visage était l'écho lointain d'un autre visage.

Je tiens pour acquis que d'autres hommes sont comme moi, que le visage des femmes vers lesquelles ils se sentent attirés sont, après réflexion, similaires. Je tiens aussi pour acquis que c'est leur mère qui leur fournit le modèle pour ce qu'ils trouvent attirant dans le visage d'une femme ou l'autre.

Tu pourrais croire que puisque j'ai été abandonné par ma mère aucune des femmes que j'ai admirées ne lui ressembleraient. Pas du tout. Je suis franchement préoccupé par la ressemblance que *toutes* les femmes que j'ai aimées ont avec ma mère, même Margaret.

Parmi les visages de Margaret, celui que je voyais en fermant les yeux était le visage le plus rapproché de celui de Katarina. Je n'avais pas encore rencontré ma mère à ce moment-là, alors je ne pouvais voir son visage dans celui de Margaret. Et pourtant, quelque part en moi, je suis sûr que je le voyais.

Margaret Goodman avait exactement mon âge. De 1957, l'année de notre naissance, jusqu'à 1967, l'année de mon départ de Petrolia, nos maisons étaient voisines.

Je connaissais toutes les filles Goodman, bien sûr. Je faisais tourner la corde à danser pour elles. Elles m'ont appris à sauter à la corde et à utiliser un four Easy-Bake.

En secret, j'étais attiré par Andréa, mais Margaret a été mon premier amour. La fatalité, je suppose, mais pas moins déconcertant pour autant.

Pendant l'été 66, cependant, Jane, la sœur de Margaret, était amoureuse de Darren McGuinness.

— J'aime Alex MacDonald, mais je suis *amoureuse* de Darren, c'est ça qu'elle disait.

Trop de maturité pour moi dans cette distinction. Je ne comprenais pas vraiment. D'ailleurs, je méprisais sincèrement, complètement Darren et tous et chacun des McGuinness qui avaient jamais vécu. Ils formaient une petite colonie de vermine irlandaise dont le principal plaisir était de me retenir pendant que le plus jeune, Barry, qui n'avait que sept ans, me frappait à coups de poings. Quand leur père est mort du cancer, je n'ai pas eu le moindre regret.

Malgré cela, comme pour les événements qui ont lieu dans un pays lointain mais qui changent notre propre existence, l'amour de Jane pour Darren McGuinness a fait réfléchir ses sœurs. Quand, de toute la hauteur de ses 15 ans, elle s'abaissait jusqu'à nous parler, elle parlait

a) de la vie à l'école secondaire ;
b) de Darren McGuinness.

J'écoutais ce qu'elle disait au sujet de l'école secondaire, en rêvant à ma propre armoire dans le corridor, au gymnase, aux brûleurs du laboratoire de chimie et à l'« Algèbre » (le plus beau nom des mathématiques : *Al-Jabr* comme les grains sucrés d'une grenade). Les filles étaient fascinées par Darren McGuinness. Il avait seize ans, partageait une vieille Chevrolet Impala avec ses frères plus âgés, jouait au base-ball *et* au basket-ball et « il savait très bien comment traiter une femme ».

Il y avait plus, mais Jane disait toujours :

— Tu n'a pas assez de maturité pour comprendre.

(Elle se référait à la partie de la cour faite à une femme que je ne comprends toujours pas tellement, l'intimité physique.)

Malgré cela, avant la fin de l'été, Andréa et Margaret se sont empressées de trouver un cavalier. Andréa a choisi Don Smith ; Margaret m'a choisi.

Vu de façon objective, j'étais un choix surprenant.

D'abord, en tant que petit-fils d'Edna MacMillan, je jouissais un peu de sa célébrité.

— En apparence stable, n'est-ce pas ? Mais propre à perdre cette stabilité n'importe quand. Madame MacMillan a joué tout un tour à la mère de Jenny Benjamin...

Deuxièmement, le père de Margaret éprouvait de la difficulté à cacher le mépris qu'il avait pour moi ; un mépris qui avait à voir avec ma grand-mère, une affaire d'antipathie naturelle et, je crois, aussi avec Madame Schwartz, avec laquelle je passais beaucoup de temps.

Finalement, comme je l'ai dit, mes sentiments de cavalier se tournaient plutôt vers Andréa, et non vers Margaret ; une piètre note pour un partenaire, il me semble.

Et malgré ces prémices peu encourageantes, malgré mon embarras quand on me demandait

— Andréa et Phil sortent régulièrement ensemble, dis donc. Et pourquoi pas nous ?

j'ai accepté de devenir son ami et, finalement, j'ai trouvé le rôle enivrant[6].

À l'âge de neuf ans, ni elle ni moi ne savions comment il fallait s'y prendre pour sortir régulièrement. Alors, avec une remarquable indifférence, nous avons décidé de ce que nous ferions et de ce que nous ne ferions pas.

— On se tient par la main ?

— Je suppose que oui...

— Devrions-nous...

— Est-ce que tu veux ?

— Je ne pense pas...

— Ah... d'accord...

---

6. Je suis toujours surpris par la force de l'instinct. C'est comme la réponse qu'on ne savait pas qu'on savait à une question posée pendant qu'on pense à quelque chose d'autre. Ou c'est peut-être comme une question dont on a eu la réponse sur le bout de la langue depuis des jours et des jours et tout à coup, de la manière la plus inattendue, pendant qu'on dort, cette réponse revient pendant votre sommeil avec une telle force qu'elle vous éveille. Mais ça n'est peut-être pas du tout comme une question. Peut-être que c'est plutôt comme une douloureuse démangeaison qui vous torture à un endroit du corps que vous ne pouvez pas atteindre, un besoin indescriptible qui dure depuis si longtemps qu'il est devenu partie de votre existence. Non, en fait, c'est peut-être comme une question, après tout.

Sans peine, délicats d'une délicatesse que j'ai rarement renouvelée ou reçue,

a) nous nous sommes embrassés une fois (sans intérêt mais pas déplaisant),
b) nous nous sommes tenus par la main (tiède, mais gênant ; pas tout à fait déplaisant),
c) nous avons partagé une boisson (rarement, et seulement quand il y avait des pailles),
d) nous avons marché ensemble vers la maison après l'école (régulièrement),
e) nous avons regardé la télévision après l'école (ennuyeux car Darren « Hé ! Ça sent le nègre ! » McGuinness était souvent là avec Jane et M. Goodman lui-même arrivait à la maison à 5 h30),
f) joué dans la cour des Goodman (principalement saut à la corde avec tout un groupe d'autres filles).

Après tout un automne de compagnie constante, à avoir là où aller sans avoir à y aller, après d'innombrables excursions pour acheter une glace, un sorbet ou de la réglisse, j'ai commencé à trouver que ça n'était pas si mal. Je ne me lassais pas de la compagnie de Margaret et j'ai même commencé à lui trouver certaines des vertus qui tiennent lieu d'attirance physique.

Notre seul conflit est venu un jour où, un après-midi après l'école, nous étions dans le sous-sol des Goodman à regarder un dessin animé de Woody Woodpecker. En arrivant au pied des marches, à sa charmante habitude, Darren McGuinness dit :

— Viens nègre nègre nègre...

Et je ne sais pour quelle raison, Margaret a choisi de me défendre :

— Il n'est pas un nègre, dit-elle.

Cela provoqua un tel éclat de rire autour de nous que je ne savais pas s'il fallait que je rie ou non. Quand Margaret est sortie en courant vers la cour, je ne savais pas s'il fallait que je la suive ou que je reste dans le sous-sol avec les autres enfants.

Je l'ai rejointe, mais j'étais fâché qu'elle m'ait fait rater mon après-midi.

À part ça, et à part la douleur que j'ai sentie quand on m'a éloigné d'elle, c'était bien.

Je m'étonne d'avoir connu des sensations aussi simples.

Je n'en ai pas eu depuis.

Si on tient compte de la longueur de notre existence commune et de l'influence singulière qu'elle a eue sur ma vie, je connaissais bien peu de chose sur ma grand-mère.

J'ai mentionné sa cuisine (Pablum et plum-pudding)
ses habitudes (vin de pissenlit)
son intérêt sporadique pour mon bien-être
sa négligence
son amour de la poésie...

Elle me nourrissait, m'accordait une sorte de foyer, faisait ce qu'elle pouvait pour moi dans ses moments de lucidité et n'a rien commis d'irréparable dans ses moments d'abandon. Pour moi, c'était les choses qui comptaient. Tout le reste obscurcissait l'affaire.

Si elle n'arrivait pas tout à fait à m'aimer, ça n'était pas vraiment sa faute. Et puis, malgré tout ce qui nous est arrivé, je l'aimais. Comment aurait-il pu en être autrement ? Pendant dix ans, toute la tendresse reçue, même infréquente, venait d'elle.

Sa mort m'a brisé le cœur.

Je me serais rendu compte qu'elle était morte bien plus tôt si nous avions été plus affectueux l'un envers l'autre, mais nous avions développé une relation qui nous laissait beaucoup de liberté et nécessitait très peu de mots.

Il était convenu, à partir du moment où j'étais assez âgé pour le faire, que je devais aller acheter les choses qu'elle inscrivait sur une liste épinglée sur un tableau de liège dans la cuisine. Si son intention était de cuisiner quelque chose de plus compliqué qu'un macaroni au fromage, elle pouvait m'en informer pour que je puisse manger chaud. (Ça n'était pas toujours un plaisir.)

En général, elle ne préparait des repas compliqués que pour les rares vieux amis qui venaient encore la visiter. Son propre choix culinaire était le sandwich au saucisson de Bologne avec une salade de radis. C'est dire que la nourriture n'était pas ce qui nous rapprochait.

Pas plus que les tâches domestiques.

Même si elle, elle n'avait pas d'ordre, je n'aurais jamais osé laisser traîner mes vêtements ou ma vaisselle sale. Ma grand-mère était très stricte quant au désordre qu'elle voulait voir ; ç'aurait été un crime de *lèse-majesté* de ma part de ramasser ses choses. Alors je laissais mes choses (livres, vêtements, bandes dessinées et chaussures) propres et rangées dans ma chambre, et je laissais le reste de la maison dans l'ordre où je le trouvais.

Je m'ennuyais à attendre que le désastre des odeurs, de la vaisselle et des journaux la ramène à elle pour qu'elle entreprenne le ménage et recommence le cycle une fois de plus.

Je me demande à quoi elle passait son temps. À quoi pensait-elle, pendant toutes ces heures ? A-t-elle eu un pressentiment de sa propre mort ? Elle devait se sentir seule, tout comme moi, mais peut-être qu'elle imaginait sa solitude d'une manière différente, avec plus de relief, des rêves exaltés.

Indépendamment de ce à quoi elle pensait, elle est morte en 1967.

C'était un vendredi d'avril; vendredi parce qu'il n'y avait pas d'école le lendemain, pas d'heure fixe pour aller au lit. J'avais épargné quinze cents pour acheter le dernier *Fantastic Four* que j'aurais à ramener à la maison en cachette tellement ma grand-mère détestait les bandes dessinées.

J'étais rentré à la maison directement de l'école, pour prendre les bouteilles vides que j'avais accumulées, avec l'intention de me faufiler dehors sans bruit.

Le bruit des bouteilles a dérangé ma grand-mère. Elle dit:

— Thomas, c'est toi?

(Les derniers mots qu'elle a prononcés, en autant que je sache.)

— Oui, répondis-je.

Après le magasin, je suis allé dans la cour de l'école lire ma bande dessinée. Je serais rentré à la maison ensuite (avec la bande dessinée roulée autour de ma jambe, enfoncée dans ma chaussette et cachée par mon pantalon), mais les filles sautaient à la corde dans l'entrée de garage des Goodman et Margaret m'a demandé d'en tenir un bout.

Ça n'est qu'après avoir fait tourner la corde pendant une heure environ que je suis rentré à la maison.

Ma grand-mère était encore dans sa chaise berçante, face à la télévision. Le poste était allumé; l'émission était *Let's Sing Out*. Je me suis préparé un sandwich au beurre d'arachide avec de la confiture pour souper. Et puis, aussi silencieusement que possible, je me suis échappé vers ma chambre.

Une fois arrivé en sécurité, j'ai crié

— Je vais lire, grand'man...

et je me suis couché sur le ventre sur mon lit et j'ai relu chacune des cases des *Fantastic Four*.

Pour m'empêcher de lire la bande dessinée encore une fois et en épuiser le plaisir trop tôt, j'ai dû prendre un livre que ma grand-mère n'aurait pas désapprouvé en le voyant: Dumas,

Dickens, Defoe. Et, comme cela arrivait souvent le vendredi, j'ai lu jusqu'à m'endormir. (Je me souviens précisément d'avoir trouvé étrange que ma grand-mère regarde *Let's Sing Out*. Elle détestait les chansonnettes d'amour.)

En m'éveillant le lendemain matin, j'ai entendu le bruit de la télévision allumée mais sans programme. Ma grand-mère était dans sa berçante mais, de l'angle où je me trouvais, elle était assise d'une manière étrange : elle s'était redressée et son dos ne touchait plus le dossier de la chaise.

— B'jour grand'man, dis-je.

Elle n'a pas répondu, mais ça n'était pas inhabituel. Quand elle avait bu, ça n'était pas rare qu'elle rumine. Mais j'ai senti que quelque chose n'allait pas. Premièrement, elle avait une odeur un peu plus forte que d'habitude. J'ai d'abord pensé qu'il y avait quelque chose qui n'était pas frais dans le frigo, mais la cuisine avait meilleure odeur que le salon. Déjà, c'était surprenant.

— Grand'man ? ai-je dit.

Toujours pas de réponse ; alors je me suis dis :

— Je ne vais pas te parler non plus, alors...

Je me suis préparé un sandwich à la margarine et j'ai bu un verre de jus d'orange et je suis allé jouer dans le jardin. Mais une idée me trottait dans la tête : *Let's Sing Out*... et l'odeur forte... et...

Et quoi ?

Je me suis mis à chercher sans conviction des mille-pattes, j'ai admiré distraitement les bourgeons sur le saule des voisins, mais c'était comme si j'avais perdu quelque chose de précieux.

Et tout à coup, j'ai découvert ce qui manquait : le bruit de sa respiration. Plutôt que le bruyant et laborieux va-et-vient, il y avait du silence, un silence dans son silence. Je ne saurais assez dire mon soulagement d'avoir découvert ce qui manquait.

Je suis retourné à l'intérieur.

— Grand'man, ai-je dit. Est-ce que tu sors aujourd'hui ?

Pas de réponse.

J'ai fait le geste sans précédent d'éteindre sa télévision et, en écoutant avec attention, je n'ai rien entendu, enchanté d'avoir eu raison : pas de respiration, rien que mon propre souffle.

J'avais presque le vertige, tellement j'étais soulagé. J'allais lui dire : « Dis, Grand'man, tu ne respires pas ! »

Ses yeux étaient ouverts ; elle regardait vers la télévision, mais plus haut, à un endroit sur le mur.

J'ai touché son bras.

C'est à ce moment que le désastre a commencé à apparaître. Où aller ? Qui appeler ? Que dire ?

Ma première pensée, la plus réconfortante, a été pour Madame Schwartz. Je pourrais tout lui dire sans paniquer et elle n'allait pas m'accuser de quoi que ce soit. Je commençais à sentir une culpabilité, comme si j'étais responsable de ce que ma grand-mère avait subi.

Mais les Schwartz n'étaient pas à la maison. J'ai frappé à leur porte très longtemps.

Restait les Goodman, si je voulais parler à des adultes que je connaissais assez bien, et c'était une affaire pour adultes, pour la porte d'en avant. Madame Goodman allait peut-être répondre. Ça serait moins pire.

M. Goodman a répondu.

— De quoi s'agit-il ? a-t-il demandé.

— Je pense que ma grand-mère est morte.

— Pardon ?

— Je pense que ma grand-mère est morte.

— Est-ce que c'est une farce ?

— Non, monsieur.

— Comment sais-tu qu'elle est morte ?

— Elle ne respire pas.

— Tu es sûr qu'elle ne respire pas un peu ?

— Oui, monsieur.

— D'accord, d'accord... Je vais y aller dans quelques minutes.

Il a fermé la porte et je suis rentré à la maison puisque je n'avais nulle part ailleurs où aller.

C'est à ce moment-là, après avoir fait ce qu'il fallait que je fasse, que j'ai eu un peu peur d'être dans la même maison que le corps de ma grand-mère. En découvrant qu'elle était morte, j'avais une chose à faire : avertir quelqu'un. Mais ça n'avait fait qu'empirer les choses, comme si de le dire l'avait achevée. Maintenant, j'étais seul avec son cadavre et avec mes pensées, qui devenaient de plus en plus dérangeantes à mesure que le temps passait.

Je ne savais pas où m'asseoir, ni où me tenir debout. La cuisine était trop proche du salon. Le sous-sol était encore plus effrayant que le salon et même si ma chambre aurait offert un certain refuge, elle était trop loin de la porte d'en avant pour que j'entende quelqu'un frapper.

J'allais de la cuisine à ma chambre, de ma chambre à la cuisine, incapable de décider où rester. Dans ma chambre, je fis de lamentables efforts pour lire, mais j'étais trop distrait pour m'intéresser à Crusoë ou à d'Artagnan. Dans la cuisine, je me suis assis en attendant qu'on frappe à la porte. Les bruits de la maison, des bruits que j'avais connus toute ma vie, me faisaient peur.

Quand j'étais dans la cuisine, je voulais être dans ma chambre. Quand j'étais dans ma chambre, je voulais être dans la cuisine. À aucun moment il ne m'est venu à l'esprit d'aller dehors.

Comprends-moi, ce n'est pas que j'avais peur du cadavre de ma grand-mère. C'est que je ne pouvais m'arrêter d'y penser et le temps passait très lentement. Ça a pris des heures avant que M. Goodman ne frappe à la porte.

Trois jours plus tard, ma grand-mère a été enterrée.

Je me souviens de ses funérailles, mais c'est flou. Il y avait bien peu de monde à l'église St. Philip, surtout des vieux, presque tous des femmes.

— Ah oui, mmm hm, c'était toute une femme, Eddy.

— Sans oublier qu'elle avait son tempérament.

— Nous en avons tous un, ma chère... pas pire qu'une autre, si j'ose dire.

— Meilleur que certaines... meilleur que certaines.

— Est-ce que tu vas t'asseoir à gauche du cercueil, Dorothy ? Je vais m'asseoir avec toi.

L'église était sombre, comme toutes les églises dont je me souviens ; des chandelles hautes et blanches sur l'autel, un petit cercueil brun entre les rangées de bancs ; de l'encens, de la cire de chandelle et, puisque j'étais assis à côté de Madame Schwartz, du patchouli.

L'atmosphère était étouffée, comme le sont les églises, tout comme les toux, les reniflements et leur écho, avec les grincements des bancs et le bruissement des livres de cantiques.

*Le Seigneur est mon berger* s'est élancé brièvement, puis est disparu tant il y avait peu de gens pour le transporter.

À la fin de la cérémonie, six hommes, et je n'avais jamais vu un seul d'entre eux, transportèrent le cercueil hors de l'église, à travers la nef, jusqu'au corbillard qui partit.

Je ne me souviens pas bien de l'enterrement. J'y étais. On a descendu le cercueil, la première poignée de terre a été lancée, mais je me souviens moins de cet épisode que de l'église, des six hommes vêtus de noir et l'odeur de l'encens.

Je ne me souviens pas de ces moments comme les derniers que j'aie vécus avec ma grand-mère.

Sa mort et ses funérailles, auxquelles elle était partiellement présente, n'ont pas été *nos* moments. Notre dernier moment, si tant est qu'il y a un dernier moment, a eu lieu une semaine plus tard, quand elle n'était plus là du tout.

J'habitais chez les Schwartz, plutôt mal à l'aise dans la chambre d'Irène. Après une semaine, j'avais besoin d'autres vêtements et je voulais récupérer mes bandes dessinées et je suis retourné à la maison de ma grand-mère.

La maison me paraissait plutôt étrange. Il n'y avait pas de lumière ; les rideaux étaient tirés ; tout attendait le retour de ma grand-mère. J'étais presque aussi mal à l'aise, tout seul dans cette maison, que je l'avais été le jour de sa mort.

Ça n'était pas mon intention de regarder dans la chambre de ma grand-mère. C'est une pièce dans laquelle je n'avais pas eu la permission d'entrer. Je n'en avais pas vu l'intérieur depuis tant d'années que j'en avais oublié l'apparence.

Et pourtant, lors de cette deuxième intrusion dans ce qui avait été ma maison, j'ai ressenti une partie du lien qui existait quand même entre la seule maison que j'aie jamais connue et moi.

Ma grand-mère m'avait régulièrement assuré que mon séjour n'était que provisoire, que je retournerais à mon « véritable foyer » aussitôt que ma « lamentable mère » viendrait me chercher, mais je commençais à craindre mon vrai foyer, où qu'il soit, et je tenais à ce que j'avais : une maison qui n'était pas la mienne mais pas non plus tout à fait pas la mienne. À part cette maison, ma propre chambre, mes vêtements, les livres que ma grand-mère m'avait donnés et ceux que mon grand-père avait laissés, je n'avais rien du tout.

Tout ça pour dire que j'étais sans possessions.

J'ai hésité avant d'entrer dans sa chambre, craignant que ma grand-mère ne me surprenne, mais quand j'ai poussé la porte, j'ai découvert une pièce rangée, à l'odeur de lavande. Le lit, avec sa couette bleu pâle, était bien fait. Il n'y avait pas beaucoup de poussière. Il n'y avait rien du désordre auquel je m'attendais.

Tout à fait le contraire de ma grand-mère, d'après moi.

D'un côté de la seule fenêtre, un simple miroir rectangulaire accroché au-dessus d'une commode. La fenêtre donnait sur la rue Grove. Sur la commode, la photographie dans un cadre d'argent de ma grand-mère quand elle était plus jeune. À côté d'elle, un bras autour de sa taille, un homme grand, élégant avec des verres à monture noire et une grande redingote : mon grand-père. Je voyais pour la première fois une image de lui.

Face au lit, il y avait une armoire avec des portes blanches à la française, entrouvertes. Dans une moitié de l'armoire, des robes qui étaient des versions des deux robes de ma grand-mère ; sous les robes, deux paires de chaussures noires, sans personnalité, et un parapluie que je n'avais jamais vu, avec un pommeau en forme de boule noire laquée. Dans l'autre moitié de l'armoire, une demi-douzaine de costumes foncés, sous lesquels il y avait deux chaussures brunes ; dans chacune d'entre elles j'aurais pu mettre mes deux pieds.

L'armoire avait une odeur de camphre.

Face à la fenêtre, il y avait une tablette courte et large. Elle était couverte de livres de mathématiques, de missels, de partitions pour piano et de livres pour enfants : *Le vent dans les saules*, *Alice au pays des merveilles*, *Les voyages de Gulliver*...

La pièce était magique.

J'ai regardé à nouveau la commode et j'ai pensé qu'il n'y aurait pas de mal à y jeter un coup d'œil.

Dans un tiroir, des sous-vêtements. Un autre était vide. Le dernier était plein de toutes sortes de choses : une toupie, une bague, un livre d'adresses, de la corde, de la monnaie étrangère, une loupe, des billets de banque et, en dessous de tout ça, une poignée de photographies et vingt lettres tenues ensemble par une bande élastique rouge.

Les photos étaient de mon grand-père, seul ou avec ma grand-mère.

Toutes les lettres, aucune dans une enveloppe, étaient adressées à ma grand-mère. Elles venaient de ma mère. La première datait de 1961, quand j'avais quatre ans ; la dernière, de février 1967. Ma grand-mère les avait sauvegardées, bien sûr, mais pourquoi me les avait-elle cachées ?

Je me suis étendu sur le lit de ma grand-mère, avec les livres, les lettres, les photographies, la monnaie et la loupe devant moi. J'ai lu toutes les lettres de ma mère, perdant intérêt quand elle ne parlait pas de moi. J'ai pris la loupe pour inspecter les photos de mon grand-père, pour inspecter les nouvelles illustrations dans des livres qui m'étaient familiers... Et je me suis tellement laissé aller que j'ai fini par m'endormir dans la chambre de ma grand-mère, sur sa couette bleu pâle.

Je ne sais pas si on se pardonne jamais pour le mal que vous ont fait les autres. Cela m'a pris tant de temps à pardonner à ma grand-mère que je n'ai pas eu de temps pour me pardonner à moi-même, mais j'aime croire que j'ai dormi à côté d'elle dans cette chambre, dans ses bras, même, comme nous le faisions avant que j'aie cinq ans ; et j'aime croire que nous nous sommes pardonnés l'un à l'autre, quoi que j'aie fait.

Quatorze jours après la mort de ma grand-mère, ma mère est revenue. Elle n'avait qu'une chose à l'esprit, qu'une chose à faire, m'emmener avec elle.

Katarina est arrivée dans je ne sais quelle voiture de couleur beige, avec quatre portières, accompagnée d'un barbu auquel il manquait des dents, Pierre Mataf.

Je ne sais pas comment elle a appris que sa mère était morte, ou comment elle a su où je vivais mais je peux sentir le souci de Madame Schwartz à mon endroit derrière le retour de Kata. La voiture est apparue devant la maison des Schwartz un matin de semaine, avant qu'Irène et moi ne partions pour l'école, juste après le départ de Madame Schwartz pour son travail.

Elle frappa à la porte. J'ai répondu.

— Oui ?

Avec une voix douce, elle a prononcé le premier mot que j'aie entendu d'elle :

— Thomas ?

et elle s'est penchée pour me prendre dans ses bras. Même si ça n'était pas plaisant, j'ai permis qu'on m'enveloppe ainsi.

— Il faut partir, dit-elle.

Je savais que c'était ma mère, ne me demande pas comment.

— À la maison... ? ai-je demandé.

— Quelque part, répondit-elle.

J'avais un moment pour prendre congé d'Irène. Il ne m'est pas venu à l'esprit que je ne la reverrais peut-être jamais (je l'ai revue), que je ne reverrais peut-être jamais Madame Schwartz (je ne la reverrai probablement jamais). J'ai pris mes vêtements et mes bandes dessinées.

Dans la maison de ma grand-mère, nous avons monté de la cave une vieille valise et l'avons remplie de sous-vêtements, de chemises, de pantalons, de chaussettes, de chaussures. Je voulais prendre mes livres favoris.

— Seulement quelques-uns, dit ma mère. Nous viendrons chercher le reste.

Un choix difficile, mais j'ai pris *A Wonder Book*, *Les nouvelles nuits d'Arabie* et, comme je ne pouvais abandonner Jim Hawkins, *L'île au trésor*.

Avant de partir, je lui ai fièrement montré les choses que j'avais trouvées dans la chambre de ma grand-mère. Je pensais que ça lui ferait plaisir de voir les photos de son père.

— Est-ce que ça n'est pas ton père ? ai-je demandé.

Elle me prit les photos des mains, regarda chacune d'entre elles brièvement.

— Oui, répondit-elle.

Avec mes possessions dans la valise, nous sommes sortis vers la voiture. Pierre Mataf en est sorti.

— *C'est ça ton fils ? Yé pas p'tit pantoute…*

— Contente-toi d'ouvrir le coffre, dit ma mère

et, à moi

— Allez, dans la voiture, Thomas.

— Est-ce que nous pouvons dire au revoir aux Goodman ?

— Nous n'avons pas le temps.

— Mais est-ce que tu ne veux pas dire au revoir à Madame Schwartz ?

— Qui ?

— Lillian Schwartz ?

— Jamais entendu parler d'elle, Thomas.

C'est à ce moment que j'ai commencé à douter de l'identité de la femme qui était venue me chercher. L'indifférence avec laquelle elle avait repoussé les photographies de son père ; la rapidité avec laquelle elle avait abandonné la maison de son enfance.

Je me suis rendu compte de mon erreur quand nous étions en route vers Orangeville. Je lui avais demandé si elle voulait prendre congé de Lillian *Schwartz*. Comme nous traversions encore un petit village, je lui demandai :

— Tu ne te souviens pas de Lillian Martin ?

À mes yeux, ça n'était pas possible que la version de Lillian de leur enfance ait été une invention ; inconcevable, certes, mais quand même une question angoissante.

— Qui ?

— Lillian Martin… ta meilleur amie ?

— Je ne sais pas de quoi tu parles, Thomas. Ma meilleure amie s'est noyée il y a des années.

— Je l'savais que t'apportais d'la mauvaise chance, toi, dit M. Mataf.

— Comment est-ce qu'on dit *bugger off* en français ?
— Ahh… en vrai français c'est « Allez vous faire enculer, Madame » mais…
— Je comprends la langue française, dis-je.
— Tant mieux, dit M. Mataf.

Petrolia a disparu de ma conscience le jour même où je suis parti, même si le village reste fixé dans ma mémoire. J'ai fermé les yeux quand j'ai vu Margaret dans l'entrée de garage des Goodman et je les ai laissés fermés jusqu'à Reece's Corner.

C'est trente ans plus tard que j'ai revu Petrolia, mais avant même d'y retourner je pense que j'aurais pu faire une liste crédible des choses que j'avais perdues :

- Ma grand-mère
- Première flamme, une fillette de dix ans avec des cheveux à la garçonne et des yeux bruns
- Une petite chambre, un lit étroit, une fenêtre sur la cour arrière des Schwartz
- Des douzaines de bandes dessinées
- Les bois en été (pour l'odeur)
- Les bois au printemps (pour le bruit)
- Champs pleins de (flore :) chardons, laiterons, chicorée (faune :) papillons monarques, sauterelles, grillons, coccinelles, musaraignes, taupes, grenouilles, tortues, des milliers de chenilles, des millions de fourmis…
- L'odeur de la boulangerie
- La lotion pour les cheveux chez Kells (et le drap blanc serré autour du cou, assez pour étrangler)
- L'aréna, les expositions agricoles, les vaches…
- Une collectivité à laquelle, malgré moi, j'appartenais.

Des milliers et des milliers d'impressions à partir desquelles je pourrais reconstruire une certaine version, en trois dimensions, de cette ville qui pendant des années m'avait consommé.

# GÉOGRAPHIE

# V

DERNIÈREMENT, changeant. Ces derniers temps, j'ai été changeant.

J'ai tellement passé de temps dans le passé que c'est difficile de revenir au présent avec son pain et ses bibliothèques. J'ai été très pris par des souvenirs de Katarina et de Henry, et je suis devenu encore plus indulgent avec moi-même :

7 heures : Le réveil m'éveille et je fais ce qu'il faut faire au début du jour (défécation, ablutions, rasage).

9 heures : J'écris, prenant un moment pour nourrir Alexandre et nettoyer la maison.

11 heures : Je continue d'écrire, ayant à l'esprit l'arrêt de midi pour un (léger) déjeuner : du céleri.

13 heures : Je rédige mes lettres au *Citizen*, ce qui n'a jamais pris beaucoup de temps et n'en prend maintenant presque plus. Il faut que j'en scrute les pages pour trouver quoi que ce soit de recommandable ou de condamnable. Ces temps-ci, je n'y mets plus le cœur, mais je continue quand même puisque c'est ma connexion avec le monde extérieur et avec

une misère qui place la mienne en perspective.

15 heures : Je révise ce que j'ai écrit, puis je pars pour la bibliothèque ou pour une longue promenade. (Peu importe où je marche ou jusqu'où. Ces jours-ci, je marche avec toi.)

17 heures : Je rentre de la bibliothèque et je lis. Je lis absolument n'importe quoi, et je mange.

19 heures : Je continue de lire, mais quelque chose de différent de ce que je lisais à 17 heures. De telle façon que si de 17 à 19 heures je lisais une biographie, disons, alors pendant les deux heures qui suivent je vais prendre un livre de poésie ou d'histoire. Hier, par exemple, j'ai commencé à 17 heures avec la biographie de Robert Graves écrite par Smith. (Ça m'a rappelé Henry.) À 19 heures, j'ai continué la *Phénoménologie de l'esprit* (dans la traduction de Bailie). (Cela me rappelle aussi Henry, avec les nuits obscures où toutes les vaches sont noires, mais le grand charme de ce livre est que, même si je le lis en anglais, j'ai l'impression de le comprendre en allemand, une langue qui m'est totalement inconnue.)

21 heures : Je nourris Alexandre, une fois de plus, je prends un bain, une fois de plus. (Si tu dois m'avoir, mon amour, tu m'auras propre)

23 heures à 7 heures : Sommeil.

Me promener dans le passé, retouner nourrir Alexandre.

Il y a quelque chose de cartésien dans tout ça, n'est-ce pas ? L'esprit dans le passé et le corps dans le présent ? Mais je préfère croire que quand j'écris au sujet du passé, mon corps y est avec moi.

C'est comme un de ces rêves où le réveil sonne et en rêve vous l'arrêtez, vous vous éveillez, vous prenez même une douche. Et pendant tout le temps, il y a une étonnante sonnerie, comme une sonnette ou comme un téléphone, ou comme le cri d'un bébé. Et tout à coup, au milieu de votre douche, vous réalisez que c'est la sonnerie de votre réveil, que vous dormez encore, même si la douche a été délicieuse, même s'il y avait du bacon qui grillait, et même si le soleil s'était levé sur la ville de vos rêves.

Tu es complète dans ce rêve : ton esprit et ton corps. Les deux doivent revenir éteindre le réveil, se lever. Et même là, les deux doivent revenir du passé pour que je puisse nourrir Alexandre.

Je préfère cette idée à une autre, selon laquelle je souffre en 1967 alors que le reste de moi se désagrège ici, trente ans plus tard.

Je ne voudrais pas que tu croies que je passe beaucoup de temps à lire de la philosophie. C'est tout près de la poésie, là où l'univers est intime, et j'y suis presque aussi mal à l'aise. Sans Henry, je n'aurais jamais lu Hegel.

Je n'en lisais pas moins Hegel et les Grecs ont fait surface, comme d'habitude ; ils auraient fait de bien étranges compagnons de voyage, Héraclite et Parménide.

Pour Héraclite, tout est fluctuation. On ne peut se baigner deux fois dans la même rivière ; il n'y a de permanence que dans le changement et le devenir. C'est une affaire bien dure que le voyage quand le chez-soi change continuellement. Une fois parti, on ne revient pas. « Et à ce prix, qu'est-ce que la Floride ? »

Mais en fait, dans l'univers d'Héraclite, même pendant qu'on est à la maison, elle change. Ni le sommeil, ni le repos, ni l'aveuglement, ni l'immobilité ne maintiennent la maison à la maison ; aussi bien partir.

Pour Parménide, le changement est leurre. Tout est un ; il ne peut y avoir de mouvement ni de devenir ; aucune modification qui ne soit une illusion des sens. Voyager est impossible ; la seule permanence est la maison. On se demanderait alors : « Pourquoi donc la Floride ? » Quelle situation terne et désespérante cela créerait. De quoi remercier Dieu pour les cinq sens grâce auxquels, malgré leurs mensonges, on peut voyager...

C'est le genre de spéculation qu'Henry aurait aimée, mais ce que je tente de dire, c'est que je ne suis pas meilleur pour dire où je suis que quand je suis.

C'est une lacune chez quelqu'un qui tente de te dire des choses à son propre sujet, je le sais bien, mais j'espère que cette lacune n'est pas insurmontable.

C'est difficile de mettre le doigt sur la province que j'ai traversée avec ma mère et M. Mataf.

Je ne l'ai pas vue au complet, bien sûr ; il y en a trop qui n'est accessible qu'aux castors. J'ai traversé le nord de la province, en route vers des petites conférences à Gimli et Moosonee, et j'ai été étonné par les huttes, par les maisons, par les Ski-Doos et les gares en ruine cachées derrière des noms aussi mystérieux que Timmiskaming, Obatanga, Batchawana Bay, Central Patricia, Sious Lookout, Kashabogie...

Mon expérience indique cependant que le nord et le sud pourraient partager une devise :

« L'Ontario : on est toujours près de l'eau ».

Ce qui est tout à fait normal dans le cas d'une province qui ressemble à un poisson sans tête :

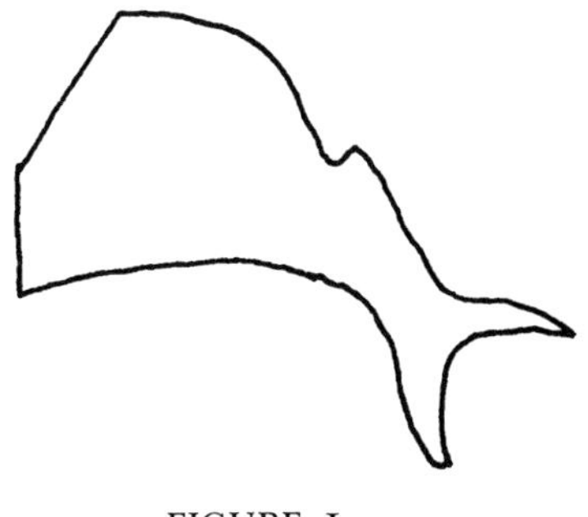

FIGURE 1

(ou à un poisson qui a la tête dans la gueule du Manitoba.)

Il y a tellement de lacs, d'étangs, de rivières, de ruisseaux, de torrents, de ruisselets, de criques et de sources... plus d'eau qu'il n'y a de place sur une carte. On dirait qu'il suffit de faire deux pas dans n'importe quelle direction pour nager, pour traverser la glace ou pour se noyer.

Ça n'est pas tout à fait ce que je ressentais en traversant le sud en voiture en 1967. Il y avait beaucoup d'eau, mais je me souviens surtout des rochers, des pierres, de la terre et des arbres ; tout cela et la relation entre ma mère et M. Mataf, sa très courte portée, cette inexplicable façon de s'aimer.

# VI

En quittant Petrolia, une lézarde est apparue dans mon petit univers.

J'étais avec deux étrangers, sur la banquette arrière d'une voiture qui sentait la cigarette ; et comme j'étais avec des étrangers, chaque détail matériel était important pour définir ma place.

En avril 1967, j'étais le fils de ma mère, mais le concept de « fils » était trop abstrait. Je n'avais jamais été un « fils » en tant que tel. J'étais « Thomas MacMillan », mais à quoi est-ce que cela me servait ? Aucun des détails qui formaient Tom MacMillan n'avait de sens véridique pour ma mère et pour M. Mataf.

Si j'avais été un enfant approprié, si j'avais été ouvert et sociable, j'aurais peut-être pu asseoir sur cette confusion la relation que je voulais. Sans préjugés, il y avait là une chance de participer à ma propre définition. À ce moment-là, dans la voiture qui roulait vers l'est, il y avait tellement de possibilités…

Cependant, même s'ils ne me connaissaient pas et si je ne savais pas moi-même qui était Thomas MacMillan, j'amenais des éléments qui rendaient difficile la construction d'une base. J'amenais dix années solitaires, l'habitude de m'incliner devant les personnes possiblement violentes, un silence autoprotecteur et un sens surdéveloppé de l'observation; aucune qualité qui pousse à l'action. Bien au contraire. J'arrivais avec des caractéristiques qui font de l'action un dernier recours.

De plus, je n'en finissais pas de chercher à interpréter le comportement de ma mère.

Tu sais, quand je n'en avais pas contre elle, j'aimais ma mère. Je l'ai vue heureuse, triste, prévenante, sans égard, aimante et vindicative, mais je n'ai jamais été totalement sûr de mon interprétaton de ses mots ou de son comportement.

Cela ne serait pas très surprenant si le reste des gens avaient eu les mêmes difficultés; mais j'ai vu des hommes jouer avec elle comme avec un instrument, des hommes qui ne pouvaient pas, ou ne souhaitaient pas voir ses manipulations; c'était justement les hommes qui semblaient lui inspirer de l'amour ou obtenir son attention.

Je me demande encore si ça n'est pas exclusivement à mes yeux que ma mère était incompréhensible; à ma décharge, cependant, il me vient à l'esprit qu'elle gardait peut-être son extravagance pour moi seul.

Je me souviens que peu de temps après que j'aie quitté la maison, nous étions assis dans son salon, en train de parler de mantes religieuses. C'était la saison du jardinage. Tous les printemps, elle me posait des questions sur les insectes, soit pour savoir comment s'en défaire, soit, comme pour les mantes, pour savoir comment en faire le meilleur usage.

J'étais assis au bout de son sofa tout neuf, tout blanc. Sans rien changer à la conversation, elle s'est levée, elle est allée dans la cuisine, elle est revenue avec un pot de confiture de framboises et une cuiller et, volontairement, elle laissa couler une cuillerée de confiture sur le coussin à côté de moi.

J'en ai conclu qu'elle n'était pas d'accord avec ce que je disais et j'ai changé de sujet, laissant entendre que dans le cas d'un jardin aussi petit que le sien, un herbicide serait sans doute plus efficace. Et d'emblée, nous avons commencé une discussion sur les produits chimiques.

Pendant les deux semaines qui ont suivi, quand j'allais la visiter, j'évitais le sujet du sofa et, bien sûr, je m'asseyais ailleurs que sur la tache.

C'est une pure coïncidence qui a fait que je sois là lorsque l'employé de « Nettoyage Capitale » est venu effectuer le savonnage-blanchissage du rembourrage du sofa. C'est à ce moment que j'ai appris que ma mère avait, un mois plus tôt, gagné un nettoyage gratuit dans un tirage. Elle gagnait quelque chose pour la première fois de sa vie mais comme la plupart de ses meubles étaient flambant neufs, le prix était inutile sans une tache quelconque.

Si seulement je lui avais demandé pourquoi elle gâchait son coussin neuf, j'aurais pu être instantanément éclairé. Le fait est que je n'ai jamais su poser à ma mère la bonne question au bon moment. Si je lui avais demandé pourquoi elle mettait de la confiture sur son sofa, elle aurait pu me répondre :

— J'ai oublié notre dessert, mon chéri.

Pour une raison qui m'échappe, elle me trouvait trop sérieux pour être pris au sérieux.

En plus de ma mère, il fallait tenir compte de M. Mataf. Ma première pensée, une pensée effrayante, a été qu'il pouvait être mon père.

Ma frayeur avait surtout à voir avec son apparence. Pour un petit garçon de dix ans comme moi, il était rébarbatif au-delà de toute expression. D'abord, il lui manquait une dent de devant *et* l'incisive à côté. Il ne s'était pas rasé ; il portait une veste de cuir avec des franges aux manches et son visage était plus pâle que le mien. Il n'était pas beaucoup plus grand que moi à l'époque (1 m 55) car je me souviens distinctement avoir été incapable d'éviter son haleine quand nous nous trouvions face à face ; une haleine de chien mouillé. Et puisque j'avais indiqué que je comprenais le français, il me parlait souvent. Je comprends le français, certes, mais je n'avais jamais été en contact avec la variation québécoise, un mélange de mots nouveaux et d'expressions familières. Je devais être particulièrement attentif quand il parlait.

Chaque fois que nous nous arrêtions pour manger, ou pour remplir le radiateur, ou pour attendre que le moteur se refroidisse, il frottait ma tête et demandait

— Ça va, p'tit ?

en fixant ma mère. C'était tellement évident qu'il était mal à l'aise avec moi que je me demandais pourquoi il ne frottait pas sa tête à elle en me laissant tranquille.

— Il parle pas beaucoup, ton fils.

— Et alors… ?

— Arrache-moi pas la tête, merde. J'fais juste remarquer, c'est tout.

— Mais qui t'arrache la tête ?

— Tu sais c'que je veux dire…

Il y avait plein de problèmes avec la voiture de M. Mataf. Le pire était une fuite lente dans le radiateur qui lui imposait d'arrêter régulièrement, pour que le moteur se refroidisse ou pour remplir le radiateur. Et les phares avant ne fonctionnaient pas, ce qui avait autant de conséquences sur notre odyssée que le problème du radiateur. Nous roulions sur des routes secondaires, loin des villes (ou en tout cas de London, Kitchener ou Guelph). Nous ne voyagions pas la nuit.

Nous étions souvent tranquilles ; c'était surtout ennuyeux, parfois intéressant.

Le temps était tiède, le premier jour. J'ai rempli mes poches de petites pierres au bord de la route et quand les adultes devaient se parler, je partais me balader tout près, pour lancer des pierres dans l'eau qu'il y avait là, ou sur les maigres bouleaux.

Ma mère et M. Mataf avaient souvent besoin de se parler, ou de rester seuls. Ils étaient plutôt égoïstes et si j'avais été un peu plus près de l'un ou de l'autre, ou si j'avais été moins habitué à être seul, j'aurais pu en souffrir. Mais en fait, les pierres et les arbres, les champignons et les fougères suffisaient à m'occuper. Parfois, pas trop souvent, je me cachais derrière des rochers ou des arbres jusqu'à ce que l'un d'entre eux, ou les deux, vienne me chercher. Je trouvais cela particulièrement audacieux, car je n'avais aucune assurance qu'ils chercheraient à me trouver.

Les moments les plus intéressants étaient ceux où je revenais vers la voiture après un temps d'exploration. Parfois, M. Mataf était de toute évidence en colère. Parfois, ma mère était silencieuse. Parfois, ils étaient calmes, parfois agités. À certaines reprises, l'un ou l'autre, ou les deux, étaient heureux ou soulagés ou, en tout cas, portés à me dire des choses gentilles.

Nous nous sommes arrêtés assez souvent entre Petrolia et Orangeville pour que je puisse prévoir les changements d'atmosphère entre le moment où on (M. Mataf) me disait

— Va-t-en voir s'il y a des chevaux dans la forêt...

et le moment où on m'appelait pour me dire de revenir, même si je ne pouvais pas prévoir l'atmosphère au retour.

Quand j'étais avec eux, ils communiquaient par insultes, par plaisanteries ou à demi-mots qui ne me disaient rien :

— Je me doutais...

— De quoi ?

— Chut !

— Quoi, chut ?

— Nous n'avons pas à parler de ça maintenant.

— T'es pas sérieuse.

— Ne vous fâchez pas, Monsieur Mataf.

— Fallait bien que je me fâchasse un jour.
— Quoi ?
Chacune de ces syllabes, ou des syllabes semblables avaient un sens qui dépendait d'une foule de détails :

*Avait-il la main sur son épaule ?* *Sa main à elle sur la sienne ?*
*Avait-il la main sur son genou ?* *Sa main à elle sur le sien ?*
*Quel était le ton de sa voix à lui ?* *De sa voix à elle ?*
*La phrase commençait-elle par un éclat de rire ? Ou à la fin ?*
*Telle ou telle chose était dite à un feu de circulation ou sur la grand-route ?*

Je n'étais pas capable de tenir compte de tout ça.
D'une certaine manière, c'est quand j'étais hors de la voiture que c'était plus facile pour moi de savoir ce qui se passait. C'était comme surveiller des bêtes dans leur cage : sans bruit — d'où je me trouvais —, ils gesticulaient, ouvraient et fermaient la bouche, se grattaient la tête, semblaient vibrer de colère ou se relâcher dans la détente. Cette absence de mots — d'où je me trouvais — était moins abstruse que leurs échanges verbaux.

Je me rends maintenant compte, bien sûr, que ce jour-là, en route pour Orangeville, en direction de Montréal, j'ai été le témoin des derniers jours d'une relation. Il m'aurait fallu être bien plus âgé pour reconstruire cette relation à partir de ses cendres mais j'ai cru comprendre, dès le premier jour, que ma mère était celle qui aimait encore, que M. Mataf ne l'aimait sûrement pas et qu'il en avait assez de la situation.
Et jusqu'à un certain point, j'avais raison.
Pendant toutes les années où je l'ai connue, ma mère aimait la plupart du temps des hommes qui, quels qu'aient été les sentiments qu'ils avaient à son endroit, n'avaient pas l'intention de rester dans le coin longtemps. Quant à moi, c'était

le seul charme évident qu'ils avaient presque tous en commun.

Il m'est arrivé de me reprocher leur départ, mais une formule est une formule, et c'était celle de ma mère. Je ne crois pas que ma mère était masochiste. Un seul des hommes qui l'a abandonnée était vraiment abusif et elle était contente qu'il parte.

Cela m'amène à un sujet déplaisant; je dois avouer n'avoir aucune idée si ma mère était ou non masochiste sexuellement. C'est étonnant de faire cette spéculation au sujet de sa propre mère, et la mienne vient de mourir il y a si peu... mais ce voile sur la sexualité des parents (avec lequel je suis bien d'accord, ne va pas croire) cache un aspect de l'amour, l'aspect physique, qu'on hérite d'eux inconsciemment, n'est-ce-pas ?

Mais là encore, en faisant marche arrière de moi jusqu'à ma mère, il est possible que le fait que je n'aie aucun intérêt à être attaché et flagellé soit la preuve qu'elle ne prenait pas intérêt à la chose non plus... *requiescat in pace*.

De toute façon, au sujet de ma mère et de M. Mataf, le pathos de leurs « derniers jours » perd de son drame quand on sait que cet homme n'a été qu'un parmi bien d'autres hommes semblables.

Il est devenu rapidement clair que ma mère et M. Mataf voyageaient avec peu d'argent.

Les implications de l'absence d'argent n'étaient pas très claires pour moi. C'est-à-dire que ma grand-mère, qui n'était guère généreuse à mon endroit, ne lésinait pas sur ce qu'elle jugeait nécessaire : des sous-vêtements longs en laine, des vêtements tellement solides qu'ils se tenaient debout tout seuls, des chaussures fraîchement venues de la vache, et des aliments nourrissants comme le Pablum et le son, le son et le Pablum.

Bien sûr, je voulais des choses futiles ; je voulais des patins et un vélo, mais ces choses ne me manquaient pas.

C'est ce voyage qui m'a appris certaines des misères de l'indigence. Non, pas vraiment, cette expression est trop dramatique. Les misères que j'ai vécues n'étaient pas si héroïques, mais je m'en souviens encore.

Nous étions arrêtés à Lucan pour faire le plein quand M. Mataf a dit :

— Viens-t-en, toi. On va se promener un peu.

Je pensais qu'il voulait faire le tour de la station-service pour se dérouiller les jambes, mais nous avons traversé la rue pour entrer dans un restaurant.

Le restaurant avait une odeur de kérosène. C'était un endroit peu éclairé, avec un comptoir et des banquettes d'un côté et des cabines de l'autre. À droite de la porte d'entrée, derrière la première cabine et partiellement caché du comptoir par un présentoir tournant de livres, il y avait un frigo rouge de Coca-Cola.

— Tom, va chercher trois *cokes* et amène-les à ta mère. Elle a soif.

— D'accord.

— Dites-donc, combien pour le *coke* ? demanda M. Mataf à l'homme derrière le comptoir.

— Combien ?

Pendant qu'il se dirigeait vers le comptoir, j'ai pris trois bouteilles vert émeraude d'une pyramide dans le ventre du frigo et je suis allé les porter à ma mère, comme il le demandait.

Ma mère était surprise du cadeau.

— Où as-tu pris ça ?

— M. Mataf te les a achetées.

— Je vois.

Elle est restée silencieuse jusqu'à ce que M. Mataf revienne, paie pour l'essence et nous conduise hors de Lucan.

— Merci pour le rafraîchissement, dit-elle sombrement. C'était l'argent de qui ?

Mais M. Mataf était en bonne forme.

— Il est bien c'mmode, ton fils...

(Il était commode lui-même. Le premier homme que je voyais ouvrir une bouteille de coca-cola avec ses dents. Je n'ai pas cherché à en connaître d'autres depuis.)

— C'est avec ton argent que tu as acheté ces bouteilles ?

— Oui, mais j'ai pas payé pour toutes. J'ai payé pour *une* seulement.

— Et comment tu as fait ?

— J't'ai bien dit qu'il était utile, ton P'tit. Y a pris trois cokes sans que Monsieur Tête carrée l'ait vu, puis ensuite, ensuite, t'aurais dû m' voir... Le monsieur derrière le comptoir, il pensait que c'était à des « frogs », à des Canadiens français, qu'il avait affaire. Ça, j'l'ai compris tout'd'suite... et je m'suis dit, d'accord, tu vas en avoir des frogs, toi. J'ai fait semblant de ne rien comprendre, mais pas un mot ! Il répétait « combien ? combien ? (de bouteilles) » et puis moi « combien ? combien ? (de sous) »...

M. Mataf était satisfait de lui-même.

— Ça commençait à l'énerver. Alors j'lui ai dit, mais lentement, en anglais : « combien... pour... un... coke... pour... le... garçon... ? ». Là, y a compris. Il criait « ten cents ! ten cents ! » Il m'criait ça en plein visage : « dix sous ! dix sous ! » Bon, d'accord. J'ai sorti l'argent et j'ai laissé dix pièces d'un sou. « T'ank... you... very... much », que j'ai dit. Il était pas malheureux de me voir partir, celui-là. T'aurais dû voir la face qu'il avait.

À la fin de l'histoire, les deux se tordaient de rire. Je ne voyais rien de drôle là-dedans, cependant. Ça se résumait au fait que M. Mataf m'avait utilisé pour voler deux bouteilles de *coke* ; même si j'avais déjà chapardé une ou deux choses dans ma vie, on m'avait appris à croire que voler était mal.

*C'était* mal dans mon petit univers.

Dans le vrai monde, pourtant, les bouteilles de Coca ont composé notre repas de midi, car nous les avons bues avant midi et il n'y avait rien à manger avant le sandwich au jambon du soir.

Après une journée ensemble, je ne connaissais pas ma mère beaucoup mieux qu'avant de la rencontrer.

Non, ce n'est pas vrai. Mais qu'est-ce que je savais ?

Je connaissais son apparence. Et ce n'est pas peu. Sa peau était plus foncée que la mienne ; son nez n'était pas aussi plat. Elle était mince et ses cheveux, rebelles et longs, étaient plus ou moins contenus par un bandeau aux couleurs vives. Sur la gauche de sa chevelure, le long de son cou, il y avait un grain de beauté. De là où j'étais dans la voiture, directement derrière elle, c'est la marque distinctive que je voyais le plus.

Je suppose que ma mère était jolie, quoique c'est une chose difficile de garder à l'esprit quand je ferme les yeux pour la voir en jeune femme. (Son visage, ce sont tous les visages qu'elle a eus à travers le temps, de la première fois que je l'ai vue jusqu'à ce qu'elle se retourne pour mourir.) Elle n'était pas ce à quoi je m'attendais. Sa voix était plus grave. Elle n'était pas chaleureuse ni affectueuse et nous ne nous sommes pas habitués l'un à l'autre dès le début.

Pire encore, il y avait chez elle quelque chose dans sa manière de bouger, dans ses gestes, qui rappelait ma grand-mère.

Il y avait d'abord et avant tout du sang-froid, du sang-froid même quand elle perdait le contrôle. Elle n'élevait jamais la voix, elle ne laissait jamais apparaître les signes de la panique, même en pleine panique. On aurait pu croire qu'elle était équilibrée n'eût été :

a) qu'elle avait abandonné son enfant
b) qu'elle ne lui avait jamais rendu visite, quoiqu'elle avait écrit des lettres qui laissaient entendre qu'elle aurait pu souhaiter le faire
c) qu'elle était venue chercher son seul enfant deux semaines après la mort de sa mère, mais sans le sou et avec un homme sans le sou qui semblait ne pas aimer les enfants
d) qu'elle était revenue dans une voiture au bord de la ferraille.

Et ce n'est qu'une liste partielle de ce qui, vu d'ici, ressemble à de l'insouciance. Ma situation aurait peut-être été plus facile si son déséquilibre avait été plus marqué. Le premier jour, le seul moment où elle a perdu son flegme, c'est quand elle mangeait. Je sentais l'effort qu'elle faisait pour se contrôler pendant qu'elle mordait dans sa moitié de notre sandwich au jambon. Elle l'engloutit puis elle ouvrit la fenêtre pour prendre une bouffée d'air.

Je trouvais qu'elle avait de mauvaises manières. Je mangeais lentement.

Nous nous sommes arrêtés au coucher du soleil à l'extérieur d'Orangeville, au bord d'un chemin de terre, à côté d'un champ inondé, à quelque distance d'une ferme.

Ça a dû nous prendre environ huit heures et demie pour venir de Petrolia à Orangeville, à 160 kilomètres de distance, en arrêtant environ à toutes les demi-heures pendant quinze à vingt minutes ; à vue de nez, je dirais que nous avons attendu 5,6 heures et voyagé 2,8 heures ; à une vitesse moyenne d'un peu plus de 57 kilomètres à l'heure sur des petites routes caillouteuses, entre des champs inondés, des granges marquées au nom de Quelqu'un & Fils, des vaches, des chevaux, du fumier.

Nous mangions nos petits bouts de sandwich en silence, nous buvions l'eau tiède des bouteilles que M. Mataf avait remplies à une station-service ; la première fois que je buvais de l'eau qui avait une odeur d'œufs. Puis les adultes sont sortis de la voiture et ont tiré une petite tente du coffre.

— Tu n'auras pas objection à dormir dans la voiture, n'est-ce pas, Thomas ?

— C'est pas un enfant, voyons.

— Tu seras plus à l'aise dans...

— Je n'ai pas objection.

— Tu vois ?

Il faisait encore clair et ils cherchaient un endroit sec où planter leur tente. Je les ai regardés faire jusqu'à ce que la tente soit montée et qu'ils s'y glissent tous les deux.

Elle semblait trop petite pour accueillir deux personnes.

Dans les circonstances, il aurait été étonnant que je puisse dormir. Mais pour un enfant effrayé de dix ans, je gardais mon sang-froid : je me suis couché sur la banquette arrière pendant que la nuit tombait, à écouter les bruits que l'obscurité assemble.

# VII

D'Orangeville à Marmora : en perspective, je dirais que la deuxième journée avec M. Mataf a marqué le vrai début de ma vie avec Maman.

Même si j'ai vécu cette journée comme un cheminement chaotique ininterrompu, je me souviens de trois choses :

1. la faim
2. le malentendu
3. la nuit

## 1. La faim

Je n'avais pas dormi, ou je m'étais promené sans m'arrêter du sommeil à la veille.

L'obscurité m'avait intimidé. Les étoiles qui, en d'autres occasions, m'avaient plu, ont refusé de devenir les constellations que j'aimais. J'aurais pu trouver Orion si j'avais voulu, mais je ne voulais pas. Il faisait froid et j'étais sans couverture, sauf pour un pull trouvé entre les deux banquettes.

Au matin, l'air était comme du sable dans ma bouche. Il y avait du brouillard sur la route et le ciel était gris. (J'ai toujours détesté le brouillard.) Et j'avais faim.

Évidemment, le simple fait de souhaiter voir apparaître ma mère et M. Mataf était le meilleur moyen de les garder éloignés. Chaque minute, de l'aube à la fin de la matinée quand ils se sont finalement réveillés, a été déchirante. Et quand ils se sont levés, ça leur a pris une éternité pour défaire leur tente, la plier et la mettre dans le coffre.

C'est étrange, mais maintenant, j'aime et je déteste avoir faim. Pour moi, qui viens d'une classe où la nourriture est facilement disponible, la faim n'est pas l'expérience déchirante de ceux dont la vie dépend de la prochaine bouchée. Pour moi, la faim est une des ententes les plus intéressantes que j'aie avec mon corps. Ça commence avec une sensation presque plaisante d'absence, le sentiment que quelque chose n'est pas là. Et je peux ignorer ce sentiment, tout comme j'ai ignoré jusqu'ici la nostalgie. Mais à partir de ce premier moment, situé dans mes tripes, l'état s'élargit ; cela passe d'une déclaration physique à une insistance à la fois physique et intellectuelle. Quand j'ai faim depuis plusieurs heures, c'est ce moment que je préfère. Il y a une ivresse liée au début d'un accord entre l'esprit et le corps. On peut penser à n'importe quoi, comme par exemple à la façon dont les arbres dénudés sont balancés par le vent, quand ces arbres ressemblent soudain à de la crème fouettée, aux mouvements du pinceau de beurre sur le poisson qu'on dore, à du brocoli, et si on pense à du brocoli alors à de la salade, et si on pense à de la salade, on pense à de la soupe. Et si c'est à de la soupe qu'on pense, et si la soupe est, disons, ce que tu aurais bien envie de manger maintenant, alors c'est comme si tu avais eu depuis toujours une relation particulière avec la soupe. La soupe devient une propositon intellectuelle à sa manière aussi importante que l'âme. Et puis on se demande ce que saint Augustin aimait manger. Il venait de Carthage, alors ses soupes devaient être au poisson, au poisson et avec beaucoup de sel... et comment peut-on prétendre comprendre saint Augustin sans savoir cela à son sujet ? Toute cette réflexion n'a qu'un but, bien sûr : m'amener jusqu'à la cuisine ; et quand ça marche et que je vais jusqu'à la cuisine, je suis forcément surpris de me trouver là, une boîte de soupe dans une main, un ouvre-boîte dans l'autre. C'est un moment de non-connaissance, d'égarement dans la pensée, un moment qui me ramène à la connaissance, à *la* pensée : la faim. À partir de cet instant, si on choisit de ne pas manger, l'énergie peut disparaître, comme si elle disait : « D'accord, je t'ai amené jusqu'à la cuisine. Je ne peux rien faire de plus. Ne viens pas te plaindre ensuite... » Et elle s'en va pour poursuivre ses tâches étranges, disparaissant pour revenir en force, avec plus d'insistance plus tard, transformant tout en nourriture, faisant de la nourriture quelque chose de lumineux. J'aime aussi cette étape dans la faim : le sentiment de manque n'est pas encore inévitable ou douloureux ; le dialogue intérieur entre moi et moi-même s'est simplement animé un peu plus. C'est le début de la vision claire, de la vision intense, et ça peut durer des jours, des jours où je sens plus l'excitation que la douleur. Tout de suite après, bien sûr, il y a un « et merde ! » quand ton corps, fatigué d'envoyer des messages qui sont une distraction, commence à se manger lui-même, envoyant de temps à autre des signaux d'alarme, quand il se rend compte qu'il n'est pas censé faire cela. Si j'ai jeûné, c'est à ce moment-là que j'aime manger. Aller plus loin est un châtiment.

En tout cas, le matin dont je parle, j'avais une faim du début de la faim, mais j'étais trop jeune pour y prendre plaisir...

Ils s'étaient disputés.

M. Mataf était fâché. Il marmonnait pendant qu'il cherchait sa clé, faisait démarrer la voiture et commençait à rouler. Ma mère demanda comment j'avais dormi.

— J'ai faim, ai-je répondu.
— Ton fils est en appétit, dit M. Mataf.
(On aurait dit « en maudit ».)
— Je l'ai entendu.
— Alors on va faire quelque chose…
— J'ai faim, ai-je répété.

Et j'ai commencé à pleurer, le besoin m'ayant fait voir la tragédie de ma situation : seul avec des étrangers, loin du seul foyer que j'aie jamais connu, peu satisfait de la femme qui était censée être ma mère, intimidé par l'homme qui l'accompagnait, gelé et mal à l'aise après une nuit sans sommeil sur la banquette arrière d'une voiture, affamé.

— Ça va, toi. On n'a pas besoin d'Hollywood à c't'heure.

Et puis ma mère qui dit :

— Ne lui parle pas de cette façon.

M. Mataf a lancé une bordée d'injures avec des *maudit* ceci et des *maudit* cela, *calice*, *hostie*, *tabernacle* jusqu'à ce que ma mère le frappe sur le côté du visage. ( J'allais dire « gifle » mais je me souviens précisément d'un poing, et de la voiture qui vire vers l'accotement.)

M. Mataf a peut-être brièvement pensé arrêter la voiture pour revenir de sa surprise ou pour la frapper, mais il n'en a rien fait. Il a continué sa route. Et après quelques kilomètres de silence avec pour seul bruit celui de la voiture et de l'air qui sifflait, il dit :

— Je m'excuse.

Et ma mère dit.

— Il y a de quoi.

J'avais arrêté de renifler aussitôt qu'elle l'avait frappé sur le côté de la tête. Même moi qui n'avais pas une grande expérience des voitures, je savais qu'il n'était pas prudent d'agresser un chauffeur pendant qu'il conduisait, mais la violence changea l'atmosphère. J'avais peur ; ma mère était calme et M. Mataf s'est détendu :

— D'accord, MacMillan, cherchons quelque chose à manger.

Non seulement il s'est détendu, mais il est presque devenu joyeux.

Nous nous sommes arrêtés dans une petite ville, Alliston ou Bradford, je pense. M. Mataf a stationné dans une rue principale presque déserte malgré l'heure, au milieu d'une matinée ensoleillée.

— Laisse-nous pour un instant, s'il te plaît, dit ma mère à M. Mataf.

— Je vous en prie, Mademoiselle, répondit-il.

Il sortit lentement, s'éloigna de la voiture en s'étirant. Ma mère se tourna vers moi, le visage sérieux.

— Thomas, dit-elle, j'aimerais que tu fasses quelque chose pour moi.

— D'accord...

— Tu sais que Pierre et moi n'avons pas beaucoup d'argent... juste assez pour payer l'essence jusqu'à Montréal... et il ne nous reste plus de nourriture. Si nous ne mangeons pas bientôt, il va falloir dépenser l'argent de l'essence... tu comprends ?

— Oui.

— Alors... quand nous allons entrer dans ce magasin, j'aimerais que tu m'aides à prendre de la nourriture pour nous.

— Nous allons voler ?

— Oui.

— Qu'est-ce que je devrai prendre ?

— Ne prends rien de trop gros, et assure-toi que personne ne te surveille... Prends n'importe quoi, n'importe quoi que tu peux glisser sous ta chemise.

— Sous ma chemise ? Ils ne vont pas voir ?

— Pas si tu fais attention.

— Et toi, qu'est-ce que tu vas prendre ?

— Tout ce que je pourrai glisser dans mon sac à main, dit-elle. Es-tu sûr que tu veux faire ça ?

— Puisqu'il le faut...

Je me doutais que ça ne serait pas simple. Comme je l'ai dit, le vol n'était pas un domaine que je connaissais beaucoup et je m'y retrouvais encore, même si c'était différent des *cokes* que j'avais chipés la veille. Je sentais le désastre.

— Es-tu prêt ? demanda ma mère.

Et je répondis

— Oui.

(C'est étrange ; j'ai un souvenir vivant de toute cette histoire, mais certains détails varient. Est-ce que la voiture de M. Mataf était vraiment marron ? Je viens de me souvenir qu'elle était bleue, et tout aussi soudainement elle était marron et c'est le ciel qui était bleu, et la rue a une odeur de pluie et je marche vers le magasin les mains dans les poches.)

M. Mataf était déjà dans le magasin, en train de bavarder avec le grand monsieur qui était derrière le comptoir.

— Vas-y, murmura ma mère.

Et je m'éloignai d'elle, les yeux baissés pour explorer le magasin. Ou plutôt, pour chercher quelque chose qui entrerait sous ma chemise.

Le magasin était mal éclairé. Il y avait trois courtes allées, le long desquelles les tablettes étaient pleines de conserves et de paquets trop épais pour que je les prenne. Il y avait un frigo contre le mur du fond, et dans le frigo, il y avait du saucisson et du simili-poulet, dans les deux cas assez plats pour que je les prenne.

Sitôt que j'ai décidé ce que j'allais voler, j'ai senti qu'on m'observait. M. Mataf et ma mère étaient en avant du magasin ; le sac à main de ma mère était ouvert.

L'homme derrière le comptoir était sans expression, à attendre, et j'ai eu l'impression qu'il me surveillait de près même s'il détournait le regard chaque fois que je me tournais vers lui.

Le problème était que personne ne le distrayait. Et finalement, un homme grand aux cheveux courts est entré, juste la distraction dont j'avais besoin pour prendre un paquet de saucisson et un paquet de simili-poulet. Sans y penser deux fois, je les ai glissés sous ma veste et ma chemise, l'un entré dans le devant du pantalon, l'autre en arrière.

Combien de temps est-ce que cela m'a pris ? (Quant à ça, combien de temps sommes-nous restés dans le magasin ?) Je ne le sais pas du tout. Je me sentais excité, embarrassé, fier et je me concentrais sur l'évasion, sur la façon de sortir avant que l'un des paquets glisse de ma ceinture.

J'ai presque couru pour sortir du magasin et, en fait, c'est ce que j'aurais dû faire, mais il y avait au moins deux empêchements à la fuite : premièrement, malgré mon manque d'expérience, je savais que courir aurait été un aveu de culpabilité et, deuxièmement, plus je me déplacerais vite, plus les chances seraient grandes de perdre les paquets de viande. Alors je suis allé vers ma mère.

— On y va ? dit M. Mataf comme je m'approchais.

Et je marchai avec eux vers le comptoir, soulagé de notre prochaine sortie. M. Mataf acheta un paquet de chewing-gum.

— As-tu quelque chose à dire, Thomas ?

Ma mère me parlait, mais je ne comprenais pas pourquoi. Je levai le regard ; trois visages me regardaient. Le visage du propriétaire était sévère, un œil fermé. Le visage de M. Mataf était illisible, vide. Ma mère me retardait avec un air de... désappointement.

— Non ? ai-je demandé.

— Es-tu sûr ?

— Oui ? répondis-je.

— Et ce qu'il y a dans ta poche ? demanda M. Mataf.

Je n'ai jamais été aussi confus. Les deux, bien sûr, savaient ce que j'avais fait mais je croyais que je l'avais fait pour eux. Était-il possible que j'aie à ce point mal compris ce que ma mère m'avait demandé de faire que j'aie fait le contraire ? Aucune réponse sur son visage.

Je vidai mes poches lentement, de plus en plus ennuyé à chaque objet qui touchait le comptoir : tout mon argent (de la petite monnaie), la clé de la maison de ma grand-mère, la clé de la maison des Schwartz, un porte-feuille en vrai cuir...

Les adultes me regardaient impassiblement, maintenant accompagnés par l'homme aux cheveux courts. Il semblait s'amuser.

— Très bien, dit le propriétaire. Maintenant, lève ta chemise.

Je regardai ma mère.

— Allez, dit-elle.

Le paquet était dans ma ceinture.

— J'ai honte de toi, dit ma mère.

— Mais tu...

C'est tout ce que j'ai eu le temps de dire avant qu'elle ne me gifle. (C'est la seule fois qu'elle m'a giflé, sauf pour rire.)

— Et ne réponds pas !

Elle se tourna vers le propriétaire et poussa gentiment le paquet vers lui.

— Nous nous excusons, dit-elle.

Et à M. Mataf :

— Aurais-tu la gentillesse de ramener Thomas jusqu'à la voiture ?

J'étais encore éberlué par la gifle que j'avais reçue.

— Mais...

— Ça va, ça va, dit M. Mataf. Ferme ta gueule un peu, Tom.

Et il m'éloigna du comptoir, après avoir balayé mes objets personnels dans mes mains.

Je ne savais pas quoi faire : pleurer, courir, rester là. De petits détails surgissaient de leur entourage : la frange brun clair du manteau de M. Mataf, la texture du plancher de bois, le bruit du carillon de la porte qu'on ouvrait, le froid du simili-poulet que j'avais oublié de rendre, les mots de ma mère au propriétaire :

— Je ne vous remercierai jamais assez...

Dehors : plein soleil, un clocher, de la boue dans la rue. Et puis tout a été emporté quand j'ai commencé à pleurer ; pas à sangloter, pas à pleurnicher. J'ai pleuré comme on pleure dans les rêves, braillé avec des convulsions, à en perdre le souffle, et chaque chose sur la planète, du clocher à la lumière du soleil, tout concourait à mon désespoir.

— Mais qu'est-ce que t'as à pleurer de même ? demanda M. Mataf.

Et il m'offrit un bâton de chewing-gum.

Quand ma mère est revenue du magasin, elle dit :

— Thomas, calme-toi.

J'étais assis sur la banquette arrière, inconsolable. Et pendant que nous roulions lentement en nous éloignant d'Alliston ou de Bradford, ma mère commença à sortir des douzaines de choses de son sac et du manteau de M. Mataf : des sardines, une boîte de lait concentré, une boîte de soupe, du beurre d'arachide, des biscuits...

— Tu as été parfait, dit elle. Le vieux type était tellement occupé à te surveiller que nous avons pu prendre tout ce dont nous avions besoin.

— Mais pourquoi tu ne me l'as pas dit ?

— Comment aurais-je pu ? Pierre a dit à l'homme que je voulais donner une leçon à mon fils. Il lui a dit qu'il fallait qu'il te garde à l'œil... Si je t'avais averti, Thomas, tu aurais pris des choses juste comme ça. De cette façon-ci, l'homme a vu que tu étais sournois… et il était tellement heureux de m'aider dans ton éducation… Je m'excuse… Tiens ; tu te sentiras mieux avec ceci.

Et elle se tourna vers moi pour me donner quelque chose à manger.

— Vraiment, dit-elle, tu as été tellement merveilleux que ça me brisait le cœur.

Je ne savais pas si je voulais continuer à manger ou à pleurer. Je l'ai crue quand elle m'a dit que ça avait brisé son cœur, mais tout cela était tellement injuste.

Même avec du recul, ça semble encore injuste ; j'aurais pu me passer de cette humiliation. Mais quand je tente d'imaginer un meilleur plan, je comprends son approche et je vois son audace. L'intime assistance accordée à une femme dans l'éducation de son fils devait être quelque chose d'irrésistible pour l'homme derrière le comptoir.

Et ça a *vraiment* fait partie de mon éducation.

Je fais rarement ce qu'on me demande de faire sans y réfléchir profondément et j'ai à ce jour évité d'acheter des terrains farfelus et des monnaies anachroniques.

Alors quand tu m'as demandé de parler de moi-même, c'est sans doute la prudence qui m'a empêché de parler. (Prudence, réticence et ne pas savoir par où commencer.)

Je ne pense pas que ma mère avait de telles choses à l'esprit quand elle m'a giflé mais quoi qu'il en soit, sa gifle est un avertissement qui reste.

## 2. Le malentendu

On donne tellement d'importance aux petits détails de l'amour : un contact sur le poignet, une main sur le front, une certaine inclinaison du corps, tous les signes de la langueur qui s'approche…

Mais les signes de la rupture sont encore plus révélateurs : une sollicitude exagérée, un contact dont la violence est camouflée par l'humour

— Mais... tu vas pas prendre ça au sérieux...

un éloignement, des phrases restées incomplètes non pas tant par une merveilleuse entente ou une complicité heureuse, mais par une compréhension *tout court*.

Si c'est dans les soubresauts moribonds des derniers instants qu'on juge la profondeur d'un sentiment, on peut dire que ma mère et M. Mataf s'étaient aimés.

Nous nous étions arrêtés pour manger, puis nous étions repartis. Le goût indescriptible du beurre d'arachide et des sardines traîne encore dans ma mémoire.

Je ne me souviens pas de propos acerbes au sujet de la victoire d'Alliston (ou de Bradford), mais une sorte de stress a fait son chemin dans la voiture.

Ma mère tourna son attention vers le paysage qui passait, les lacs bleus surgis soudain et aussitôt disparus, les champs inondés, les champs où des chevaux, des vaches ou des moutons broutaient, et des arbres, des arbres, des arbres, torturés, maigres, et tellement affamés de lumière qu'ils s'entrelaçaient.

De temps à autre, M. Mataf disait

— On l'a bien eu, celui-là.

à personne en particulier.

Ça devait être l'enfer pour lui d'être avec deux personnes qui choisissaient si facilement le silence. Il était d'une nature bavarde, démonstrative, grégaire. Pour se tenir compagnie, il alluma le transistor qu'il avait dans sa poche et le plaça sur le tableau de bord.

— Shuger bye, 'onee bunsh..

Il chantait à l'unisson, transformant des chansons que je connaissais en superbe presque anglais, améliorant grandement, d'après moi, un air comme *California Dreamin'*. Et de temps à autre, il parlait, pas à moi directement, mais en m'ayant à l'esprit :

— C'est pas si pire, des fois, ton Ontario.

ou

— Le ciel est si bleu, si calme...

Lors de l'un de nos arrêts de refroidissement du radiateur, il est même venu marcher avec moi, demandant distraitement le nom des pierres le long de la route.

— C'est quoi, ça ?

— Du schiste.

— Pas vrai... et ça ?

— Pierre à chaux... talc... ardoise...

Bienheureux soulagement pour M. Mataf d'avoir l'apparence d'une conversation.

— Schiste... schiste... talc... quartz... quartz... pierre à chaux...

— T'as une mémoire vraiment prodigieuse, toi.

Et ensuite, parce que j'étais intimidé et parce que j'étais curieux :

— Où est-ce que vous avez rencontré ma mère ?

— Où que j'ai rencontré ta mère ? À Vancouver.

— La connaissez-vous depuis longtemps ?

— Mais qu'est-ce que c'est tout ça ? Un interrogatoire ? D'un côté, ça fait pas longtemps, d'un autre, ça fait une éternité. La réponse convient-elle à Monsieur ? Bon.

Ce furent les seuls moments intimes que nous avons partagés, M. Mataf et moi, et pour notre déception à tous les deux, je lui ai demandé ce qu'il voulait garder sous silence.

## 3. La nuit

Comme nous l'avions fait la veille, nous avons roulé sur des chemins étroits et des petites routes du matin jusqu'aux premiers signes du couchant.

Nous nous sommes arrêtés au bord d'un lac, près de Marmora. Nous avons mangé un peu plus des victuailles volées et ensuite, à ma surprise, M. Mataf est sorti de la voiture, il a pris la tente dans le coffre et est allé l'installer à une certaine distance de la voiture, tout seul.

J'étais seul avec ma mère.

— Je vais dormir ici ce soir, Thomas ; j'espère que tu n'as pas d'objection.

J'en avais une.

— Je n'ai pas d'objection, dis-je.

C'était étrange. Il y avait trop de choses à dire, trop de choses à demander. On s'est installés, elle à l'avant, moi à l'arrière et nous nous sommes dit bonne nuit.

C'était une nuit froide et silencieuse. Je ne pouvais pas dormir.

Il me semble que ça faisait des heures que je regardais la lune et les étoiles quand ma mère demanda doucement :

— Est-ce que tu dors, Thomas ?

— Non, répondis-je.

— Ça va s'améliorer quand nous arriverons à Montréal.

— Pourquoi allons-nous à Montréal ?

— Eh bien, Pierre y connaît des gens. Nous allons trouver du travail.

— ...

— C'est une très belle ville. Je sais que tu vas l'aimer.

— Lillian a dit que tu n'aimais pas ta mère.

— Lillian semble avoir dit bien des choses à mon sujet.

— Tu l'aimais ou pas ?

— Bien sûr que je l'aimais. Je ne t'aurais pas laissé avec elle si je ne l'avais pas aimée.

— Et Lillian ? Je pensais qu'elle était ta meilleure amie.

— Anne Maurice était ma meilleure amie.

— Elle ne s'est pas noyée ?

— Non, pas vraiment.

(Quelle surprenante soirée pour Lillian Martin. Ma mère reconnaissait son existence, certes, mais comme une connaissance. De plus, elle avait passé quelques nuits chez les Martin, c'est vrai, mais il n'y avait pas eu de natation, en autant qu'elle s'en souvienne. Et pourtant, malgré les contradictions, il y a des aspects de la Katarina de Lillian qui sont plus compréhensibles que la version que ma mère donne d'elle-même. Je n'ai jamais bien su qui croire au sujet de qui.)

— Pourquoi ne m'as-tu pas emmené avec toi ?

— J'étais très jeune, Thomas. Si je t'avais gardé, nous n'aurions pas eu de maison, pas de vêtements, pas de nourriture.

— Tu ne pouvais pas rester à Petrolia ?

— Non.

— Est-ce que je n'avais pas un père ?

— Bien sûr que tu avais un père.

— Il n'aurait pas pu nous aider ?

— Non, il n'aurait pas pu.

— Était-il un homme bon ?

— Bien sûr qu'il était bon.

— Étiez-vous amoureux ?

— Où as-tu entendu ces histoires ?

— Mais étiez-vous amoureux ?

— Thomas, tu es trop jeune pour utiliser ce mot. Vraiment, c'est trop difficile...

(Il faisait noir, tout était silencieux. Ma mère parlait à voix très basse, en chuchotant. Je me demandais si mon père était un monstre. Sans yeux ? Sans doigts ?)

— Est-ce que tu aimes M. Mataf ?

— Je ne sais pas ce que je ressens.

— Tu ne sais pas si tu aimes quelqu'un ?

— Je ne sais pas si j'aime M. Mataf.

(Bien sûr, elle l'aimait. Il était sa propre misère particulière.)

— Comment était grand-mère... avant ?

— Maman, elle était... constante.

— Mais tu l'aimais ?

— Bien sûr que je l'aimais. Elle et papa se sont toujours entendus.

— Pourquoi n'es-tu pas venue nous visiter ?

— Écoute, Thomas, ma mère était parfois une vraie V qui rime avec un H. Et après la mort de papa, nous ne nous entendions plus du tout... Ça aurait empiré les choses si j'étais allée faire des visites...

— Comment ?

— Je l'aurais étranglée à mort.

Malgré leur consonnance macabre, ces mots sont les plus réconfortants que j'aie jamais entendus prononcer par ma mère.

Nous étions unis dans notre expérience de la mauvaise humeur d'Edna. Quand nous déblatérions, on aurait dit un frère et une sœur qui osaient appeler leur mère « vache ».

Et jusqu'au milieu de la nuit, nous avons partagé les souvenirs que nous avions de ce qui avait été la maison.

Est-ce que j'avais soupçonné que le petit trou creusé à côté de la porte de ma chambre à coucher, c'est elle qui l'avait fait avec un crayon ? Et un nom gravé dans la plinthe ? Une porte brisée ? Une fêlure dans l'anse d'un pichet ? Une tache sur le mur de la cuisine ? Tout de sa faute.

Si seulement j'avais su où regarder, j'aurais trouvé sa signature partout.

Est-ce qu'elle avait appris à lire aussi tôt que moi, assise à la table de la cuisine, répétant à voix haute les mots difficiles : effluves, caractère, Phœbus ? (Oui.)

Est-ce qu'elle se souvenait de Lampman ? (Non, pas un mot.)

Est-ce que je me souvenais de mon Donne ? (Oui.)

*Puisque je viens vers cette pièce sacrée*
*Où, avec ton chœur de saints et pour toujours*
*Sera faite ta musique…*

Nous avons dit ces mots à l'unisson et j'ai entendu la voix de ma grand-mère en les prononçant. Mais il paraît que ça n'était pas vraiment son poème. C'était le poème préféré de mon grand-père. Ma mère entendait sa voix à lui, tandis qu'elle me parlait, tout comme Edna, sans doute.

— De quoi avait l'air mon grand-père ?

— Eh bien, il était grand… et il était gentil…

— Et tu l'aimais ?

— Je l'aimais beaucoup.

— Comment est-il mort ?

— Thomas, il est trop tard pour ces choses.

Nous parlions depuis des heures.

J'ai posé ma dernière question à la frontière du sommeil et c'était comme une seule interrogation faite dans deux mondes. Je suis passé d'un endroit obscur à un endroit clair, de la voiture de M. Mataf à mon rêve de la voiture de M. Mataf.

Ici, la lune était plus claire, et il y avait un lac juste à côté, un immense cercle sur lequel flottait la lune. Nous avions décidé de sortir de la voiture, ma mère et moi, pour tremper nos pieds dans l'eau, tellement la nuit était chaude.

La nuit est toujours chaude et il n'y a toujours que quelques arbres entre nous et l'eau, et le sol est humide. J'entends les mots doux et familiers :

*… Anyan, et Magellan, et Gibraltar.*

Et je suis dans l'eau jusqu'à la ceinture.

Au loin, il y a un suaire qui flotte sur les ondulations de l'eau et vient dans ma direction, et au-dessus du suaire, des douzaines de papillons de nuit.

C'est effrayant de voir ces phalènes sur l'eau et quand je me retourne pour sortir du lac, je découvre que je ne peux plus bouger.

— Je ne peux plus bouger, dis-je.

Mais ma mère est partie. Il n'y a plus que le lac, les arbres, la lune, les papillons de nuit…

J'ai fait ce rêve si souvent que je m'étonne qu'il y ait eu une première nuit. Parfois, le suaire qui vient vers moi transporte le corps de ma grand-mère ; ses yeux sont ouverts juste sous la surface de l'eau, et sa bouche bouge pendant qu'elle tente de se libérer ou de parler.

D'autres fois, c'est le corps de ma mère.

Dans tous les cas, ce qui me fait peur, ce sont les phalènes et le fait que je ne puisse pas bouger, que je sois attrapé dans le limon sous l'eau.

Je ne me souviens pas si c'était Edna ou Katarina, cette nuit-là sous l'eau, mais la peur m'a éveillé et je n'ai pas du tout été réconforté de me trouver encore là où je m'étais éveillé.

C'est désagréable quand la nuit et le jour se ressemblent.

# VIII

En pensant à Marmora, pendant un instant, je me suis souvenu de la forme de notre voyage, de la configuration du pays. D'une certaine façon, j'ai trouvé amusant d'établir une corrélation entre le sud de l'Ontario et la relation de ma mère avec M. Mataf.

J'ai même tracé un graphique :

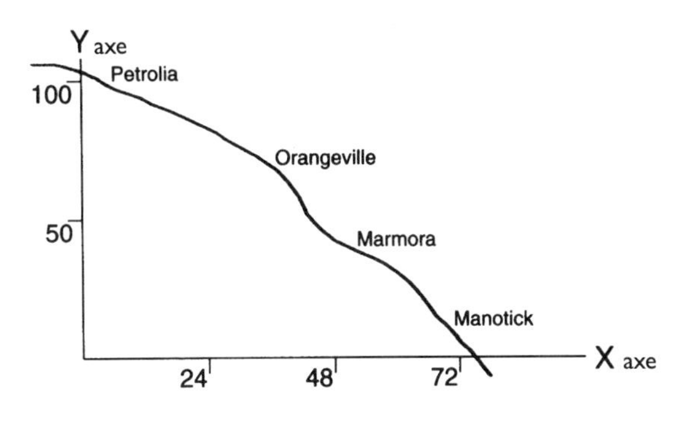


FIGURE 2

- Où l'axe Y est le niveau d'affection.
  Je ne sais pas vraiment jusqu'à quel point, à un moment donné, les deux étaient amoureux, mais je tiens pour acquis le niveau maximum au départ : Petrolia (0,100)

- Où l'axe X est le temps.
  Une autre approximation. Je ne suis pas sûr de ce que nous faisions à quel endroit à un quelconque moment donné, mais je peux croire que le moment de moindre affection était Manotick que nous avons mis trois jours à atteindre : Manotick (72,0)

Bien sûr, aussitôt que j'eus fini de tracer le graphique, j'ai commencé à avoir de sérieux doutes à son sujet. Par exemple, pourquoi ne pas utiliser des longitudes et des latitudes dans l'axe X ?

L'Ontario commence autour de 95° de latitude, 49° de longitude. Elle se termine autour de 74° de latitude et 56°51' de longitude. Établir la distinction, par exemple, entre 77°45' (juste avant Marmora) et 77°40' (juste après) donnerait une plus grande précision à la poursuite d'un rapport entre sentiment et géographie, n'est-ce pas ?

Ça serait formidable de pouvoir écrire :

- latitude 77°45' au moment où le soleil s'engageait dans sa courbe descendante vers le lac Crowe, Pierre Mataf et Katarina MacMillan ont perçu une tristesse et une diminution des sentiments qu'ils éprouvaient l'un envers l'autre, une émotion qu'ils allaient dorénavant associer avec le coucher du soleil sur cette étendue d'eau à telle date, à telle heure, avec un enfant renfrogné à leur traîne.
- latitude 77°40' ... la tristesse antérieure prend la forme élégante d'une interrogation (de la part de Katarina MacMillan) quant à l'endroit où ils se trouvent, et d'une

> interrogation (de la part de Pierre Mataf) quant au but final de cette soirée mélancolique…

Mon choix d'une échelle de 24 heures (0 à 72) est bien sûr vague, mais l'imagination qu'il faut pour décrire avec précision les émotions des autres m'est totalement étrangère. Alors le côté vague de mon axe X s'adapte parfaitement à mon souvenir et à mon imagination, ou à l'absence de l'un et de l'autre.

Le concept d'« affection » utilisé pour l'axe Y est tout aussi flou. Dans ce cas-ci, cependant, puisque les émotions sont, par définition, vagues, toute précision causerait plus de problèmes qu'elle n'en résoudrait.

Supposons, par exemple, que sur une échelle plus précise des affections :

100 = « relation sexuelle sans ressentiment »

et

0 = « absence de relation sexuelle sans conséquences émotives accablantes »

Cela me semble presque raisonnable même si, à l'analyse, les problèmes sont évidents :

1. Est-ce que « relation sexuelle sans ressentiment » est une bonne définition du sentiment le plus élevé ?

   À fin d'argumentation, et à partir du principe selon lequel la manifestation extérieure d'une émotion est la meilleure preuve que les émotions existent, la réponse est un « oui » mitigé. (Par commodité, on laisse de côté la question du « ressentiment », qu'on l'enregistre avant, pendant ou après la relation sexuelle.)

2. Est-il possible que ma mère et M. Mataf aient eu une « relation sexuelle sans ressentiment » à Petrolia ?

   Honnêtement, je pense que non. Je ne crois pas qu'on puisse briser une telle relation après trois jours. C'est-à-dire que s'ils avaient *pu* avoir une relation sexuelle sans ressentiment à Petrolia, il est tout à fait improbable qu'ils se seraient séparés si rapidement. Ils devaient donc être plus près du 0 que du 100 sur la nouvelle échelle que je viens d'établir. Et même là, comme les émotions varient largement (plutôt que de diminuer progressivement comme je l'indique), il est tout à fait possible qu'ils aient, à Petrolia même ou dans ses environs, glissé vers cette partie de l'échelle qui offre un niveau acceptable de ressentiment et rend plausible une relation sexuelle. Imaginons, par exemple, qu'ils se soient soudainement souvenus de leur première rencontre, la première nuit étoilée, la première passion de l'un envers l'autre. Un tel souvenir pourrait leur faire atteindre 50, et alors tout est à revoir.

   Alors la réponse est un « peut-être » plutôt décevant.

3. Si les émotions peuvent varier assez pour qu'une telle intimité soit possible si peu de temps avant une rupture définitive, est-il possible de dire quand ils sont tombés en désamour avant leur rupture, ou même *si* ils sont tombés en désamour avant leur rupture ?

   Non, on ne peut pas le dire et l'impossibilité de donner une réponse à cette question en particulier rend ridicule n'importe quel graphique ou tableau qui inclut le mot « affection ».

   Et pourtant…

Même si j'avais envie de jeter mon graphique, ne serait-ce que pour éviter que tu me croies hypnotisé par la précision, il y avait quelque chose dans l'élégante chute de la ligne qui me rappelait ce qui descendait aussi pendant notre traversée de l'Ontario :

- la relation de ma mère avec M. Mataf
- l'interprétation de ma mère que j'avais retenue de Mme Schwartz
- mon sentiment d'appartenance
- ma tendre enfance

Et alors, même si je déteste utiliser à mauvais escient les graphiques, celui-ci avait plus de signification en tant qu'image qu'en tant que graphique *strictu sensu*.

(Je me demande souvent la forme qu'aura le contour de notre temps à nous : de la bibliothèque jusqu'au contact [accidentel] au coin de O'Connor et Laurier ; notre baiser près de la rue Lyon, que tu me touches [volontairement], la lune à travers la fenêtre, rue Percy...)

Le lendemain de mon rêve avec un suaire et des phalènes, M. Mataf nous a réveillés tôt. Il poussa la tente dans le coffre de sa voiture, il ferma brusquement le capot et il claqua la portière du côté du chauffeur en montant à bord.

— Bon, ça va, dit-il sans enthousiasme.

— Trou d'cul, répondit ma mère doucement.

Même si dans mes souvenirs les journées sont habituellement ensoleillées, cette journée-là était franchement humide. M. Mataf était mouillé quand il nous a réveillés, sa veste était mouchetée. Il avait dû pleuvoir pendant la nuit. En tout cas, il pleuvait pendant que nous roulions. Je me souviens d'une réprimande de M. Mataf :

— Ferme-moi cette fenêtre, veux-tu ? dit-il, quand j'ai ouvert une fenêtre pour sortir ma main.

Nous nous arrêtions quand même pour que le moteur se refroidisse et pour remplir le radiateur, mais j'ai passé le plus clair de la journée dans la voiture, dans la demi-obscurité du jour et dans un silence orageux.

Même si je les surveillais de près depuis deux jours, le dégoût de ma mère à l'endroit de M. Mataf, et la réciproque, était un choc pour moi. J'étais convaincu que tout était de ma faute ; le silence, la tension, peut-être même le mauvais temps.

Quand M. Mataf a tenté de me parler :

— Ça va en arrière ?

ma mère a dit :

— Laisse-le tranquille.

en fixant clairement la limite. J'étais de son côté dans l'escarmouche et me parler c'était lui parler et comme ils ne se parlaient pas, il ne devait pas me parler.

Je suis convaincu que c'est le moment où M. Mataf quitta le bord. Non pas que je me souvienne qu'il ait dit en autant de mots que leur relation était finie ; mais justement, étant un homme bavard, son absence de réponse, son silence représentaient le « en autant de mots » dont je parle. Je ne me souviens pas qu'il ait dit un seul autre mot à ma mère ; ni « bonsoir », ni « au revoir ». Mais il a osé me parler, à moi. Il a dit :

— Me passerais-tu les biscuits, s'il te plaît ?

et

— Non, c'est moi qui va dormir dans l'auto ce soir. La tente est pour toi et ta mère.

et

— Bonsoir, Tom.

Pour moi, maintenant, le chemin de Manotick semble un lent rituel qui devait être joué de cette façon-là, sur ce théâtre-là. Ma mère aurait sûrement pu apaiser les sentiments de M. Mataf si elle avait voulu. La moindre sollicitude aurait pu le ramener, mais elle ne fit aucun effort ; pas un mot après l'avertissement de me laisser tranquille, et même à moi elle parla très peu.

D'autre part, peut-être attendait-elle des excuses. Les excuses étaient très importantes pour elle. Je ne comprends pas tout à fait sa pensée mais je crois que son cheminement était à peu près celui-ci : « Si j'ai tort, je vais m'excuser ; mais si j'ai tort et si c'est évident pour toi et pour moi que j'ai tort, alors c'est pour moi une humiliation d'avoir tort et tu devrais t'excuser. » (Je dois mentionner ici qu'à un certain moment ma mère et moi ne nous sommes pas parlé pendant deux mois, car nous attendions tous les deux des excuses l'un de l'autre.)

Je n'ai aucune idée du comportement de M. Mataf quand ils étaient ensemble. Peut-être avait-elle droit à des excuses. En route vers Manotick, cependant, elle était de toute évidence la plus forte et je pouvais sentir qu'elle le démoralisait totalement.

À part la tension et la température, la journée a été sans intérêt. Il pleuvait, puis il arrêta de pleuvoir.

Au moment de manger, les sardines de la dernière boîte étaient rances, mais la boîte d'huîtres était bonne. M. Mataf dit :

— Me passerais-tu les biscuits, s'il te plaît ?

Quand nous nous sommes arrêtés près de Manotick[7] pour la nuit, ma mère s'est tournée vers moi et a demandé :

---

7. Je me suis souvent demandé comment nous sommes arrivés à Manotick, non seulement parce que c'est plus au nord qu'on ne pourrait le penser pour des gens en route vers Montréal, mais à cause du nombre

— Es-tu installé confortablement, Thomas ?

M. Mataf s'est tourné vers moi et répondit :

— Non, c'est moi qui va dormir dans l'auto ce soir. La tente est pour toi et ta mère.

Il déposa les clés de la voiture dans ma main.

Ma mère est immédiatement sortie de la voiture. Elle ne se serait pas abaissée jusqu'à discuter. Bien au contraire, elle fit comme si ça avait été son idée que nous dormions les deux ensemble dans la tente plutôt que dans la voiture. Il ne pleuvait pas. Nous étions près de la rivière. Elle prit nos choses dans la voiture : chandail, nourriture, livres.

Et après avoir sorti la masse toute froissée de la tente du coffre de la voiture, je remis les clés à M. Mataf.

— Bonsoir, Tom, dit-il.

Cette nuit a été encore plus étrange que celle de la veille, près de Marmora.

D'abord, il y avait la tente, une doublure en toile bleue, avec des supports de métal et des piquets de bois pour l'ancrage. Elle était très basse et on pouvait à peine y glisser deux personnes. La toile était mouillée et elle empestait l'humidité.

Il faisait plus froid à l'intérieur de la tente qu'à l'extérieur. Nous avons rapidement enlevé nos chaussures et nous nous

---

horrible de *villes* qui affligent la queue nord-est de la province : Frankville, Kemptville, Domville, Stampville, Brouseville, Keelerville, Mainsville, Marvelville, Mayerville, Merrickville, Wagarville, Middleville, Orangeville, Innisville, Judgeville, Ellisville, Marionville, Andrewsville, Ramsayville, Chesterville, Hainesville, Ettyville, Stanleyville, Hallville, Spencerville, Maxville, Philipsville, Clydesville, Riceville, Bonville, Bainsville, Mitchellville, Charlesville... Il y a quelque chose d'insolent quand on arrive à un lieu dont le nom ne se termine pas par *ville*. (En fait, par *ville* ou par *Corners*.)

sommes glissés dans le sac de couchage qui était assez large pour deux.

C'était comme être enfermé avec un étranger.

Nous avions déjà accepté notre propre rôle (mère et fils), chacun avait accepté le rôle de l'autre, mais ça ne suffisait pas pour éliminer le malaise. Comment dire ? Ma mère prétendait être une mère et sa version de « mère » incluait l'amour de son rejeton. Je prétendais être un fils, et ma version de « fils » incluait une certaine aise avec ma créatrice.

Je ne sais pas comment elle se sentait, mais j'avais moins de problème à l'accepter comme « mère » qu'à me prendre pour un « fils ». Mon inconfort, la raison pour laquelle je tentais de demeurer totalement immobile, avait autant à voir avec moi qu'avec elle.

Qu'est-ce que j'attendais de ma mère ?

Je m'attendais à la mère construite avec les éléments accumulés à Petrolia. Je m'attendais à une femme différente de ma grand-mère. J'attendais Katarina, mais ma mère était la négation de tout cela.

La femme de vingt-neuf ans qui dit

— Bonne nuit, Thomas.

(et déposa une bise sur l'arrière de ma tête) était l'aboutissement des dix premières années de ma vie. Il fallait tout revoir en l'ayant à l'esprit.

Ma grand-mère était différente, à la lumière de sa fille. La maison où j'avais vécu était différente maintenant que je connaissais les signes secrets de la présence de Katarina. La ville de Petrolia était différente parce qu'elle avait fait fuir cette femme (et l'avait plus tard rappelée). Même des événements récents changeaient de sens à mesure que je connaissais mieux ma mère.

Le dilemme le plus déchirant, ce soir-là, était de savoir comment dire « bonne nuit ». Ça paraissait tellement important, alors. Ma mère dit :

— Bonne nuit, Thomas.
Qu'est-ce que je devais répondre ?
— Bonne nuit, Katarina (?)
— Bonne nuit, mère (?)
— Bonne nuit, maman (?)
— Bonne nuit (?)
Je dis :
— Bonne nuit.

Le lendemain matin, M. Mataf était parti.

Il avait laissé nos valises sur le bord de la route ; à part ça, aucun signe de lui.

Je me suis levé le premier, alors c'est moi qui ai réveillé ma mère.

— M. Mataf n'est pas là, dis-je.

Ma mère sortit de la tente. Elle marcha jusqu'au bord de la route où se trouvaient nos valises et après un instant lança une bordée de mots que je n'avais jamais entendus dans la bouche d'un adulte.

— Tu n'as rien entendu, Thomas.

Je l'avais plutôt senti.

Nous sommes restés debout au bord de la route pendant un temps qui m'a, si je me souviens bien, paru extrêmement long ; ma mère regardait la rivière et moi, je ne savais pas où regarder jusqu'à ce que, après avoir ramassé nos affaires et comme si l'eau avait décidé pour nous, nous ayons commencé à marcher le long de la rivière en direction du nord.

Nous avons laissé la tente où elle était, avec le sac de couchage déroulé à l'intérieur. Ma mère portait les valises et je tentais de la suivre sans trop me plaindre.

Nous marchions vers le nord, mais elle ne me disait pas *où* nous allions. Pendant des années, j'ai pensé que le temps qu'elle avait passé en silence au bord de la route avait été consacré à chercher où trouver refuge, mais il peut bien se faire qu'elle ait cherché à trouver une alternative à la rivière, une alternative à Henry Wing.

Quelle qu'ait été sa pensée, c'était un moment fatidique dans la vie de trois personnes : la mienne, celle de ma mère et celle de Henry.

Je ne parviens pas à me souvenir des détails de notre marche. Dans mon interprétation, nous marchons pendant des heures le long de la route et de la rivière et ma mère porte nos valises. Quand nous avons faim, elle prend le paquet de simili-poulet dans son sac et elle en plie une tranche sur le dernier biscuit.

C'est en tout cas ce dont je me souviens, l'image avec laquelle je me suis enfermé.

# LES SCIENCES

Les Sciences, Divination: par des oracles, *Théomancie*; par la Bible, *Bibliomancie*; par les souris, *Myomancie*; par la manière qu'a un coq de piquer le grain, *Alectromancie*; par des apparences dans l'air, *Chaomancie*; par la position des étoiles à la naissance, *Généthliaque*; par les fumées qui viennent de l'autel, *Capnomancie*; par les courants, *Blétonisme*; par l'équilibre d'une hache, *Axinomancie*; par les nombres, *Arithmancie*; par les lettres dans la cendre, *Tephramancie*; par les esprits vus dans une loupe magique, *Crystalomancie*; par les entrailles d'un animal sacrifié, *Hiéromancie*; par les entrailles d'un sacrifié humain, *Anthropomancie*; par les oiseaux, *Orniscopie*; par les ombres et les crinières, *Sciomancie*; par les fantômes, *Psychomancie*; par les vents, *Austromancie*; par les vers à soie *Séricimancie*; par des passages dans des livres, *Stichomancie*; par les entrailles d'un poisson, *Ichtyomancie*; divination en général, *Mantique*; en laissant tomber des gouttes de cire dans l'eau, *Céromancie*; par un feu sacrificiel, *Pyromancie*; par les fontaines, *Pégomancie*; par la pâte des gâteaux, *Crithomancie*; par un tamis en équilibre, *Coscinomancie*; par des points faits au hasard sur une feuille de papier ou ailleurs, *Géomancie*; par des galets retirés d'un tas, *Pséphomancie*; par des miroirs, *Catoptromancie*; par les reflets du soleil sur les ongles, *Onychomancie*; par ventriloquisme, *Gastromancie*; par la façon de rire, *Géloscopie*...

(Liste abrégée des sciences de la divination)

# IX

SURTOUT PARLER DE QUOI, d'abord ? De la ville ou de Henry Wing ? Ottawa a tellement changé, et si souvent, je ne sais plus quel Ottawa est Ottawa. La ville comme je l'ai vue pour la première fois en entrant à pied de Manotick ? C'est tout juste si je m'en souviens. J'étais fatigué et mal à l'aise. C'était un peu comme un amoncellement d'immeubles et de verre, avec quelques monuments.

C'est une chose étrange à reconnaître, de la même façon que rencontrer ma mère avait été étrange, mais il y a eu un temps où je ne savais pas ce qu'étaient les immeubles du Parlement, le Château, le Canal. Je les ai peut-être vus en entrant de Manotick, mais ils n'avaient pas de sens à mes yeux et je ne m'en souviens pas.

Une grande partie de mon passé s'est perdue dans le manque d'attention de l'enfant que j'étais, et ces choses-là sont celles qui me manquent le plus, la première impression de certains endroits.

Pendant un temps, les immeubles du Parlement n'avaient pas de sens pour moi, et puis tout à coup ils ont eu un sens. Et maintenant, dans un rêve, ils occupent mon imagination de façon telle que si un fou lunatique me poursuit avec un couteau, par exemple, ils apparaissent fréquemment.

Je suis dans Sandy Hill, la Côte-de-Sable, à courir dans les ruelles et par-dessus les clôtures, à me glisser dans les haies, sur le campus et autour de l'université, en traversant le pont de la rue Laurier, et puis les immeubles du Parlement sont là, fermés et vides, et ça continue, mon assassin, tout aussi miraculeusement athlétique que moi, me poursuit toujours quand je cours le long de la rue Rideau vers la Côte-de-Sable, vers l'université, puis encore sur le pont, vers le Parlement, vers...

Et rien d'autre. Quelle ville en effet ? La ville que je connais le mieux est trop personnelle pour que je la partage, non pas parce que je ne la partagerais pas avec toi, mais parce que tu l'as fréquentée au moins autant que moi, au point de reconnaître que les immeubles du Parlement ne sont pas vraiment les immeubles du Parlement, mais plutôt des mots dans une langue étrangère.

Ce que je veux dire, c'est qu'il y a deux séquences de la ville dans mon imagination. Il y a la ville où je marche : l'odeur de l'été rue McLaren quand je passe devant chez Dundonald et j'entends le murmure des arbres, deux centimètres de neige sur le garde-fou noir qui longe le canal, l'intérieur du vieux ciné Elgin et je vais jusqu'au premier rang et j'enlève mon manteau et je dis « excusez-moi » quand mon coude frappe un étranger « ce n'est rien, ce n'est rien »...

Et puis il y a la ville que je pratique dans mes rêves et dans mes rêveries.

Elles ne sont pas tout à fait différentes, bien sûr. Ottawa nourrit la ville de mes rêves et la ville de mes rêves est une dimension de la ville elle-même.

Le Monument aux Morts, par exemple. La première fois que j'ai vu le Monument, avec son ange de pierre menaçant et ses noirs soldats qui traversent un grand arc blanc, j'ai eu un sentiment de confusion plutôt que de peur. Quelque part en moi, le monument avait un sens plus spécial que Mort ou Héroïsme.

Et puis des années plus tard, quand quelque chose ne marchait pas dans ma vie, je rêvais au monument. Je rêvais continuellement au monument. L'arc et les angles étaient blancs comme neige, les soldats étaient comme des ombres vivantes qui murmuraient et grommelaient en essayant de tirer du canon. Pour une raison mystérieuse, l'ange était en colère, mais avec la colère d'un marchand envers un mauvais employé, et la colère faisait qu'il battait des ailes, projetant des insectes rouge vif dans toutes les directions.

Pousser le canon à travers l'arc en murmurant ?

Des insectes rouges tirés de plumes de pierre ?

Quel que soit le sens du rêve, s'il avait un sens, le fait est que le rêve était assez vivant pour m'accompagner pendant un certain temps et quand je revoyais le monument, je ne m'attendais pas vraiment à ce que l'ange batte des ailes, mais le monument était autant partie de la ville que partie de moi. C'était un mot partagé dans le langage commun de mon esprit et de mon corps.

Je veux dire par là qu'Ottawa est un messager crucial dans le dialogue entre mon esprit et mon corps. Un court glossaire de son langage pourrait avoir l'air de ceci :

| Le corps est : | L'esprit : |
|---|---|
| *Rue Bank :* | ennui, beauté (Lansdowne), ennui (bus 1, 4 et 7) |
| *Billings Bridge :* | bonheur (intellectuel) désespoir (émotif) |
| *Rue Elgin :* | désir, amitié (bus 14 et 5) |
| *Parc Major Hill :* | étranges avances |
| *Monument aux Morts :* | angoisse (liée à la mort ou à la sexualité) |
| *Centre national des Arts :* | amitié, tranquillité, silence |
| *Boulevard St. Laurent :* | désespoir |
| *Vanier :* | angoisse *tout court*… |

Et ainsi de suite de rues en édifices, de ruelles en terrains vagues, du marché et de Notre-Dame jusqu'à Blossom Park et à la cuisine chinoise.

Les mots que j'utilise (ennui, désir, etc.) sont évidemment traduits d'un langage qui n'existe que dans le silence. Et ça n'aide pas les choses que ce langage change continuellement. Le Monument n'a pas le même sens maintenant qu'il avait à un autre moment. Je peux passer à côté sans penser à des insectes. Il est passé d'un vers vivant dans un poème (*« Ode à Ottawa »*) à une phrase qui vit dans un roman (*Nous regardons si rarement Ottawa*) et, quand je mourrai, il apparaîtra dans une encyclopédie qui inclut un article stimulant sur les insectes rouges (*Encyclopedia Ottaviensis*, Thomas MacMillan, éditeur).

Je parle d'Ottawa, mais d'une certaine manière, c'est de Henry Wing que je parle.

L'idée d'un langage secret, par exemple, est une des idées favorites de Henry. Les encyclopédies étaient sa manie et, quant aux affaires de monde et de rêve, je me souviens que nous étions assis un jour dans le salon, à manger un gâteau au sucre en buvant du thé.

C'était l'été et j'avais dix-huit ans quand Henry mentionna soudain qu'il aurait bien aimé avoir pensé quand il était jeune à son projet le plus récent.

— Quel projet ? lui demandai-je.

— Je voudrais écrire mon onéirographie.

— Pardon ?

— Ou est-ce mon auto-onéirographie ?... Quel qu'en soit le nom, j'ai pensé à écrire ma vie. Je pensais que quelqu'un pourrait apprendre à partir des étapes que j'ai franchies. Le problème est que ma vie a été sans aucun intérêt, une autobiographie me mettrait dans le coma. La question est de savoir comment rendre la chose intéressante. Puis je me suis rendu compte que les choses les plus intéressantes dans ma vie ont eu lieu pendant mon sommeil. Et je me suis dit : « Wing, est-ce que ça ne serait pas une merveilleuse idée de vivre à nouveau la vie que Katarina et toi avez vécue en rêves ? » Et puis j'ai pensé : « Mais attends un peu. Bien des personnes ont rêvé à toi dans le courant des années. Si je pouvais recueillir et rassembler leurs rêves, ça pourrait être intéressant. J'ai dû vivre une vie pleine dans les rêves des autres. Si je pouvais les amener à me raconter leurs rêves où j'étais présent, je pourrais écrire ma vie sans l'ennui de la vivre deux fois. » C'est ce que je veux dire en parlant d'onéirographie, Tom. Une solution élégante, n'est-ce-pas ?

Il prit une gorgée de thé et sourit.

Je croyais que c'était en effet une solution élégante, même si, comme la plupart de ses idées, elle resta dans mon esprit plus longtemps que dans le sien. Longtemps après qu'il ait abandonné son onéirographie, l'idée continuait de me tarabuster. (Ça continue de m'intriguer et la question demeure à savoir si la différence entre notre vie et celle que nous vivons dans les rêves des autres n'est pas bien moins intéressante que Henry le supposait.)

C'est difficile de dire qui, d'Ottawa et de Henry, je connais le mieux.

Je les ai connus le même jour, mais je suis devenu plus intime avec la ville depuis. Si elle allait soudainement devenir un être humain, je suis sûr que je la reconnaîtrais. En fait, j'ai parfois le sentiment d'être son incarnation. Je suis si mince et ma vision est si mauvaise. Je m'en tire dans ses deux langues. J'ai un travail subalterne, mais avec un titre officiel : Assistant de recherche principal, Laboratoires Lamarck Inc.

D'autre part, malgré mon affection pour lui, il y a chez Henry Wing des côtés qui continuent de me sembler étranges. Si Henry se transformait en ville, je ne suis pas sûr que je la reconnaîtrais. Quant à lui, il admirait Alexandrie au troisième siècle et la Florence de la Renaissance, deux villes de sciences sensuelles. Il tolérait Ottawa.

Même s'il n'a jamais quitté Ottawa, il a réussi à transformer sa portion de la ville en quelque part ailleurs.

Alors, nous sommes arrivés à pied de Manotick.

Maintenant que j'y pense, ma mère devait être furieuse. Elle avait un enfant qui pleurnichait, deux valises à porter, et le seul endroit où aller était chez quelqu'un qu'elle n'avait pas envie de voir.

Elle demandait où était Cooper aux passants.

— Cooper ?

— Cooper ?

Je croyais que c'était quelqu'un qui s'appelait Cooper, mais nous cherchions la rue Cooper. Et quand nous avons trouvé le 77, Cooper, j'ai été déçu ; une maison de trois étages, plutôt crasseuse, qui avait dû, à un certain moment, avoir de la classe mais qui, en 1967, avait l'air d'approcher de sa fin.

(Comme on se trompe ! J'écris ces mots assis à une table au deuxième étage du 77, regardant par la fenêtre qui donne sur la rue Elgin. La maison se porte bien.)

Nous avons sonné à la porte.

La porte a été ouverte par une vieille dame noire aux cheveux roux.

— Entrez, entrez, dit-elle

comme si elle nous avait attendus.

Le rez-de-chaussée était dans la pénombre et une odeur de cuisine exotique flottait dans l'air. On n'avait pas lavé les murs de l'entrée ; ils étaient blanc cassé. Au moment de passer devant deux portes à la française, j'ai vu qu'il y avait un grand salon éclairé, avec un tapis coloré et de larges fenêtres. (Mon souvenir du salon est l'esclave de l'amour que je lui porte.)

Ma mère n'était pas intéressée au rez-de-chaussée. Nous avons continué vers l'escalier devant nous et sommes montés à l'étage.

Ici non plus, les murs n'étaient pas tout à fait propres, malgré le papier-peint bleu clair. Il y avait une rose de plâtre sculptée au plafond en haut des marches. Du centre de la rose une ampoule dans une boule en verre dépoli pendait. Cet étage avait une légère odeur de lilas.

Nous avons tourné brusquement en haut des marches, ma main sur la balustrade, et derrière des portes de verre coulissantes, on croyait voir un grand salon. Dans la pièce, que Henry appelait une étude, assises sur des chaises au dos élevé, il y avait une poignée de femmes qui riaient.

En fait, je ne me souviens pas de combien de femmes il s'agissait, et elles semblaient vieilles, quoiqu'elles ne devaient pas être beaucoup plus âgées que Henry à cette époque-là (40 ans). Je me souviens de lèvres rouges, de fanfares de bijoux : bagues, bracelets, colliers, boucles d'oreille... Et quand ma mère a repoussé les portes de verre, le parfum de lilas et d'autres fleurs était accablant.

C'était tout un spectacle de féminité même si, comme je l'ai appris plus tard, il n'est pas impossible que les femmes aient été des hommes. Henry n'était ni travesti, ni homosexuel, mais il ne détestait pas la compagnie des uns et des autres sous le prétexte que cela favorisait sa fidélité à ma mère, sa Kata adorée.

Quand nous sommes entrés, les rires ont cessé. Ma mère dit, comme si la pièce lui appartenait :

— Excusez-moi, mesdames, M. Wing et moi avons à nous parler.

C'est alors que j'ai vu Henry Wing pour la première fois. Il était debout devant un tableau noir, à l'autre bout de l'étude. Il portait un costume gris aux rayures fines avec une chemise blanche boutonnée jusqu'en haut. Je me souviens du costume et de la chemise et je me souviens des chiffres inscrits dans un coin du tableau noir :

+40 +4M
-40 -4M

(Ils y sont restés longtemps.)

J'ai toujours cru que Henry était l'homme le plus élégant que j'aie jamais rencontré. Il était grand, mince, avec un visage un peu inhabituel : foncé, yeux bruns, pommettes hautes et des oreilles un petit peu trop grandes. Ses cheveux étaient courts, ses doigts longs et gracieux. Sa peau était aussi foncée que celle de ma mère et il avait une odeur de savon au citron, dont les pains jaune vif étaient les seuls qu'il gardait à la maison tant et si bien que les salles de bain gardent une trace de lui pour laquelle je suis, sans l'avoir toujours été, reconnaissant. Il était élégant, mais il n'en était pas tout à fait au courant. Il s'habillait toujours bien, avec des chemises propres et des chaussures vernies, mais les vêtements étaient moins impressionnants quand on s'en approchait. Le costume gris à rayures fines, par exemple, était vieux et le tissu était usé aux coudes.

Il se déplaçait avec une allure très peu commune, paraissant plein de sollicitude et d'attention même s'il restait parfaitement droit. De notre première poignée de main à la dernière, j'ai été à l'aise en sa présence.

Ma mère était dans un drôle d'état : échevelée, impatiente, un enfant à ses jupes. Les dames se sont levées de leurs chaises et sont sorties de la pièce :

— Pauvre chérie.

— Nous sommes là, Henry.

Leur parfum restait derrière elles. Quand elles eurent quitté la pièce, Henry dit

— Bravo ! Tu as mis les sirènes en déroute.

et en me regardant

— Et qui c'est ?

— C'est Thomas MacMillan, répondit ma mère. Thomas, veux-tu nous laisser pour quelques minutes ?

— Oh, mais nous ne nous sommes pas serré la main, dit Henry.

Nous nous sommes serré la main, son visage gentil penché vers le mien.

Une fois sorti du salon, les portes coulissantes de verre fermées derrière moi, je me suis retrouvé en compagnie des femmes (ou des hommes).

— Pauvre garçon.

— Regarde comme il est sale.

— Est-ce que ta mère ne te nourrit pas, mon chéri ?

— Qu'est-ce que cette femme peut bien vouloir à Henry ?

J'étais content de l'attention qu'on me portait.

Je ne veux pas te donner une mauvaise impression au sujet de Henry. J'espère ne pas avoir trop insisté sur ses excentricités, avec cette affaire de l'onéirographie et les hommes habillés en femmes. Si on juge ses passions, les plus importantes étant les Idées et Katarina, il est beaucoup moins inhabituel.

Quant aux idées, il était connaisseur, comme d'autres sont des connaisseurs de papillons, de grillons ou de scorpions. En général, il était un amateur appliqué, faisant des listes de choses insolites (voir la liste abrégée des sciences de la divination) et, comme pour bien des amateurs, le plus exotique lui donnait le plus de plaisir.

Il lui est arrivé de songer sérieusement à écrire une encyclopédie dont le titre aurait été *Les catégories de Wing : une cyclopédie d'illusions insolites*. Il avait vingt-six gros cahiers à reliure cuir, des albums dans lesquels il avait collé des articles, des définitions et des idées originales. Mais comme pour n'importe quelle encyclopédie, il y avait des problèmes délicats à régler au départ :

1. Dans quel ordre placer les idées ?
   Par ordre alphabétique ? Par similitude conceptuelle ? (Faut-il inclure Anthropomancie dans l'article sur la Hiéromancie ? Ou faut-il en faire mention dans un article plus général sur les usages étranges du corps humain ?)

2. Que faire des idées sans nom ?
   Quel est le mot pour la reliure faite avec de la peau humaine ? Ou pour les différentes tentatives de réduire l'alphabet ? Et en l'absence de noms, avait-il le droit d'inventer un nom pour des idées ? (Cela ne s'appliquait pas aux idées dont il avait la paternité — Archéphilie, Partionnisme, etc. — mais nommer un concept appartenant à quelqu'un d'autre lui paraissait lassant.)

3. Qu'est-ce qui est « insolite », au juste ?
   Voila un vrai problème. L'idée que des enfants sont créés quand des hommes font de drôles de bruits en présence de femmes, voilà un concept insolite mais sans valeur, un simple malentendu. Mais faut-il l'inclure ? Ça pourrait avoir sa place dans un article général sur les « méprises enfantines », mais cet article pourrait manger toute l'encyclopédie. (« Le ciel est bleu parce que les nuages ne sont pas là », etc, etc.)

Et puis il y avait des idées communes qui étaient quand même insolites. Comme Radio, par exemple.

Et finalement, il y avait des idées qui étaient *à la fois* communes et insolites mais qui, après étude, maintenaient un rare mystère : Habitation, Temps, Nombre, Cause et Effet. Pourquoi les exclure ?

Il n'a jamais résolu une seule de ces questions et c'est à ce titre que Henry a toujours prouvé qu'il était un véritable amateur. S'il avait donné *une* seule réponse à une seule de ces questions, par rapport à *la* réponse à l'ensemble de son questionnement, il aurait fort bien pu terminer son encyclopédie, une tâche immense en effet.

Il n'avait besoin que d'entêtement, mais cela lui aurait enlevé l'un de ses véritables plaisirs, l'élaboration d'idées insolites. Il passait des heures, des jours, des semaines à méditer, à tenter de découvrir une idée originale, potentiellement utile et, au meilleur de sa connaissance, encore sans nom.

Je ne sais pas s'il était important que sa « nouvelle » idée soit bonne ou opportune. Il était vraiment fier d'un concept comme « Archéphilie », qu'un article manuscrit dans *Les catégories de Wing* définit ainsi :

> ARCHÉPHILIE (du grec *arkhe* : commencement, commandement + *philos* amour) (a : •κε•fíliε) : 1. amour de l'ordre, manifeste dans la recherche de la présence d'un système (matériel ou spirituel) là où il n'y a pas évidemment d'ordre. 2. Dans son sens métaphysique, l'*archéphilie* est le désir de se dissoudre dans l'unité qui précède l'ordre. 3. (désobligeant) La poursuite entêtée d'ordre là où il n'y en a pas.
>
> (Antonyme : *archéphobie* : peur de l'ordre, ressentiment contre Dieu ou quelqu'un comme lui.)
> *Archéphiles dans l'Histoire* : Parménide, Nicholas de Cuse, Giordano Bruno, John Donne, Isaac Newton.

diagramme 1

Même en appliquant les modestes règles de Henry luimême, cet exemple n'est guère convaincant. C'est plus une description qu'une idée ; ça n'est donc pas approprié. Malgré cela, il a pris un tel plaisir à l'euphonie du mot qu'il n'a pu se résoudre à l'exclure de son œuvre.

(C'est plutôt triste que j'aie ouvert *Les catégories de Wing* à cet article en particulier. Si Henry avait aimé l'ordre un peu plus, il aurait poursuivi l'affaire plus loin. L'état de confusion dans lequel il a laissé son encyclopédie, avec des parties illisibles, des pages blanches et un volume 11 complètement vide, est un témoignage des qualités qui lui manquaient.)

Ça n'est qu'en ce qui concernait ma mère qu'il était parfois absurde. C'est-à-dire que Henry pouvait être insupportablement raffiné et quand je voyais, de temps à autre, cet aspect de sa personnalité, je comprenais pourquoi ma mère n'était pas toujours à l'aise avec lui.

Ma lecture extrêmement personnelle de l'« amour » est qu'il s'agit d'un phénomène fixé dans le temps. Je veux dire par là que le premier amour et le premier béguin sont des affaires de glandes et quand les glandes sont irritées, il reste encore le petit-déjeuner et la mauvaise humeur, les ongles d'orteil tranchants et les flatulences, toutes choses qu'il est difficile de supporter pour soi-même, alors raison de plus chez quelqu'un d'autre. Ça ne veut pas dire que je ne suis plus amoureux au premier pet; après les vacances de l'engouement, je suis capable d'aimer la tête froide, en acceptant comme partie de l'affaire les aspects désagréables.

Même s'il ne s'est pas toujours comporté comme s'il était amoureux, et même s'il est le seul homme que je connaisse qui ait jamais vraiment aimé ma mère, il y avait quelque chose d'effréné dans les sentiments qu'il éprouvait à son endroit, comme si tout chez elle était admirable.

Même si ni l'un ni l'autre ne m'a jamais dit quand et comment ils s'étaient rencontrés, c'est évident qu'ils se connaissaient depuis un long moment. Dès le premier soir chez Henry, ma mère marmonnait au sujet de caractéristiques que je n'allais pas découvrir avant bien plus tard. Et même s'il n'avait que des compliments à son sujet à elle, il connaissait ses qualités infiniment mieux que moi.

(J'ai pensé que Henry était peut-être mon père, bien sûr. J'ai demandé à ma mère, le premier soir où nous étions chez lui, s'il l'était. Je me souviens qu'elle était assise au bord du grand lit qu'on avait préparé pour moi, dans une chambre à coucher qui sentait le camphre.

— Quelle question: répondit-elle.)

Malgré la connaissance qu'il avait de ma mère, Henry choisissait souvent la manière la plus irritante d'exprimer ses sentiments. C'est en cela que je le trouvais absurde. Il pouvait réciter pour moi, mais seulement en présence de ma mère, la poésie la plus sentimentale:

*Le grand amour qui dans mon esprit repose*
*et dans mon cœur a pris sa résidence…*

Sur la table de la salle à manger, il mettait des œillets jaunes dans un vase plein d'eau. Il écoutait des disques de madrigaux après dîner. Il achetait des oiseaux multicolores, un canari, des tourterelles, un perroquet.

Il ne faisait pas ça tous les jours, tu comprends, pas si souvent que ça, maintenant que j'y pense, mais ça prend bien peu de Thomas Wyatt et rien que quelques madrigaux pour que je remette en question l'état mental d'un homme. Et il me semble que s'il l'avait aimée un peu moins, ou avec un peu moins de passion, ils auraient pu être heureux plus longtemps.

Et pourtant...

Et alors...

Henry Wing, un Noir avec des ascendants chinois, élégant, grand, âgé de quarante ans, amoureux d'une femme de onze ans sa cadette, qui travaillait à une encyclopédie d'un intérêt relatif, qui vivait rue Cooper dans la ville de mes rêves, peut-être mon père.

Le mot pour le décrire, c'est prévenant; prévenant et affectueux, une combinaison superbe.

# X

Après avoir congédié les sirènes, Henry nous ramena dans la salle à manger du rez-de-chaussée.

— Madame Williams, appela-t-il.

La vieille dame aux cheveux roux, dont je remarquai alors les pantoufles et les bas roulés sur les chevilles, rentra gentiment en traînant les pieds.

— Oui, Monsieur Wing ?

— Madame Williams, je veux vous présenter Mademoiselle MacMillan et son fils, Tom.

— Beau garçon que vous avez là, mam'zelle.

— Et j'ai l'impression qu'il a faim, dit Henry. Avons-nous quelque chose à manger qui n'est pas congelé ?

— Monsieur Wing, vous savez bien que je congèle rien. Y'a de l'okra avec du riz dans le frigo.

— Veux-tu de l'okra avec du riz ?, me demanda Henry.

— Oui, s'il vous plaît.

On ne peut dire « oui, s'il vous plaît » à de l'okra qu'une fois dans sa vie et je m'en souviens encore. La texture était répugnante. Mais le riz, lui, avait des petits pois et des morceaux salés qui étaient finalement de la queue de porc. J'ai mangé chaque grain, récupérant même ceux qui étaient cachés sous l'okra.

— Merci, Henry, dit ma mère quand nous eûmes terminé.

— As-tu aimé ça, Tom ?
— Je n'ai pas aimé le légume, Monsieur.
— Ta mère non plus...

Alors nous n'avons plus jamais mangé d'okra, même si Madame Williams servait parfois du calalloo, qui est de l'okra sous une autre forme. (Le calalloo était toujours servi avec du crabe et le crabe était le met le plus exotique possible et c'était bon.) C'est surprenant, maintenant que j'y pense, de constater avec quelle facilité j'ai accepté la cuisine de Madame Williams. C'était surtout de la nourriture des Antilles et jusqu'à ce que je découvre l'origine trinidadienne de Henry, c'était inexplicablement étranger. Et pourtant, je me suis adapté au plantain, au *roti*, au *dasheen* et au *dalpuri* comme si je les avais connus dès ma naissance.

La nourriture correspondait à mon nouveau milieu. Non pas que la maison de Henry était antillaise ; elle ne l'était pas, mais c'était ce que je connaissais de plus antillais. Ma grand-mère, d'ailleurs, avait chassé Trinidad de sa propre vie et de son décor. Ici, dans cette demeure, dasheen et gâteaux de sucre étaient à leur place.

C'est au moins le sentiment que j'avais. Ma mère avait probablement un sentiment différent. Peut-être que quand elle était jeune, ma grand-mère avait moins systématiquement caché ses origines. Dans un tel cas, les aspects antillais de la maison de Henry, surtout Madame Williams, devaient lui rappeler le mauvais souvenir de l'endroit qu'elle avait fui.

Mais j'écris tout cela sans conviction. Ma mère a été cruelle à l'endroit de Madame Williams, mais elle avait peut-être d'autres raisons de ne pas l'aimer. Le fait est que je ne peux penser à son comportement sans me souvenir qu'il m'était incompréhensible.

La maison dont Madame Williams avait la faible gouvernance était un reflet de son propriétaire, extravagante ici, miteuse là.

Le salon du rez-de-chaussée était, de toutes les pièces, ma favorite. Les rideaux étaient blancs. Il y avait deux tangaras écarlates empaillés sur la cheminée. Il y avait un sofa rouge grand et profond ; je pouvais me cacher en dessous des coussins ; et pour les moments de folie, je pouvais repousser le tapis de Perse et faire apparaître une étendue de bois verni propre et douce qui allait du sofa jusqu'à la salle à manger. En chaussette ou les pieds dans les jambes de mon pyjama, je pouvais glisser d'un bout à l'autre.

Presque aussi belles, et sûrement plus mystérieuses, il y avait les pièces de l'autre côté du corridor d'entrée : la bibliothèque et le laboratoire. Le laboratoire était habituellement fermé à clé, sauf si Henry y était, mais la bibliothèque était toujours ouverte à moins que Henry y soit en train de lire. C'est donc la bibliothèque que j'ai connue d'abord.

Et c'était une superbe bibliothèque. Du plancher au plafond, les murs étaient recouverts de tablettes, et sur les tablettes, il y avait des milliers de volumes, parfois deux rangées par tablette. Même s'ils étaient presque tous reliés en cuir, il y avait une énorme variété : un recueil de nouvelles de Sigrid Undset, et *Les merveilleuses aventures de Nils Holgerson* se trouvaient à côté d'Averroès et d'Avicenne, le marquis de Sade était à côté de sainte Thérèse d'Avila, les *Mille et une nuits* de Lane avec *L'éthique* de Spinoza, Gershom Scholem avec Niels Bohr, *Le manuscrit trouvé à Saragosse* avec des livres sur les insectes, sur les mammifères, sur les oiseaux, sur les étoiles...

Ces livres, avec les milliers du grenier, de la chambre à coucher de Henry, de la cave, de l'étude du premier étage, chacun d'entre eux pris en charge et, en principe, épousseté par Madame Williams, étaient la source des *Catégories de Wing*. Ils ont aussi été, pendant des années, ma principale source d'amusement, d'édification et de terreur. Je ne peux décrire, par exemple, la joie de découvrir *L'histoire naturelle du scarabée* de J.B.S. Haldane, avec ses minutieuses illustrations, ou les cauchemars qui ont suivi ma lecture de *La dame changée en renard.*

Pendant nos premiers mois chez Henry, j'ai été particulièrement distrait par la bibliothèque. C'était d'abord le printemps, puis l'été. Je n'avais pas d'amis et ma mère et Henry étaient occupés pendant des heures par leurs affaires. Ils ne faisaient que parler du futur. Je ne pouvais pas passer cinq minutes en leur présence sans m'ennuyer.

Alors je lisais.

Ni l'un ni l'autre ne se préoccupait de ce que je lisais. Je me souviens d'avoir été assis dans le fauteuil de la bibliothèque, en train de lire avec étonnement, honte et incompréhension *Les bijoux indiscrets*, un roman au sujet de vagins qui parlent quand Henry est entré dans la pièce trop vite pour que je cache le livre.

— Ah... Diderot, dit-il.

Et il continua jusqu'au laboratoire, dont il ferma la porte derrière lui.

Ils étaient impressionnés par le fait que j'aimais les livres. Pris au milieu de leur propre bouleversement, ils étaient sans doute soulagés que je m'occupe aussi facilement.

Madame Williams était encore plus impressionnée. Elle traînait parfois ses pantoufles jusqu'à la bibliothèque, un chiffon dans la main, et me regardait lire, une chose qu'elle ne pouvait faire elle-même.

— Hum, hum, disait-elle après un moment, si ses yeux durent aussi longtemps que ses doigts, va faire un docteur, c'est sûr...

Je faisais semblant de l'ignorer en m'enfonçant encore plus dans le fauteuil, en prenant un air encore plus sérieux, tournant délicatement les pages de mon livre, mais j'avais hâte à ses interruptions.

Après le salon du rez-de-chaussée et la bibliothèque, la pièce que je préférais, c'était ma chambre au premier étage. J'aurais pu préférer la cuisine et madame Williams, n'eût été des souris ; pas les souris elles-mêmes, que j'aimais, mais les pauvres bêtes tranchées en deux par les trappes.

La chambre à coucher n'était pas totalement plaisante. Elle avait une odeur de camphre, même si j'ouvrais les fenêtres au complet. (À ce jour, je m'attends à cette odeur, même s'il n'y a pas eu de boules à mites dans ce coin-là depuis des années.) L'armoire était presque une pièce en elle-même, assez grande pour s'y promener. C'était d'accord pendant la journée, mais la nuit, je ne pouvais m'empêcher de penser qu'il y avait quelqu'un de caché ; ça me gardait éveillé, à attendre.

Mais mon lit ; mon lit avec ses draps propres était comme un lac blanc. Il était assez grand pour quatre ou cinq personnes comme moi. Et c'était un endroit sûr.

Pendant les années passées chez Henry, ma mère venait me dire bonne nuit tous les soirs. Au début, c'était d'une intimité inattendue. Elle s'asseyait sur le bord du lit et nous nous parlions de la journée, comme des confidents :

— Je ne sais pas combien de temps nous pouvons encore rester ici.

— Pourquoi ?

— Henry m'épuise. C'est trop lourd de rester ici.

— Où est-ce qu'on va aller ?

— Je ne sais pas, mais aussitôt que j'aurai trouvé du travail, nous allons nous trouver une maison à nous. D'accord ?

— Je suppose que oui...

— Et ta journée ? Qu'est-ce que tu as fait ?

— Eh bien... J'ai lu dans la bibliothèque...

... J'ai été malade...

... Je n'ai pas réussi à...

... Je n'ai pas fini de...

... J'ai...

Je ne me souviens pas de mes réponses autant que je me souviens des siennes. Une ou deux fois par semaine, j'essayais de l'impressionner avec un bout de connaissance que je venais d'acquérir.

— Savais-tu qu'il y a 250 000 espèces de scarabées ?

— Non, je ne savais pas.

— Et les lucioles...

Le plus souvent, cependant, je ne trouvais rien à dire. Rien ne m'arrivait jamais. Je ne faisais rien qui mérite qu'on en parle. Alors nous échangions un baiser de bonne nuit, ma mère éteignait en sortant et les rayons de la lune envahissaient lentement la chambre, avec le peu de lumière qui venait de dessous la porte.

Quand nous nous sommes mieux connus, quand il avait commencé à m'enseigner les éléments, Henry aussi venait me dire bonne nuit, parfois en même temps que ma mère, parfois après elle.

— Bonne nuit, Tom.

— Bonne nuit, Monsieur Wing.

Ça a été « Monsieur Wing » pendant un an. Puis « Henry ».

Henry avait une affection à peu près égale pour Madame Williams et pour ma mère.

Aussitôt que je me suis rendu compte de sa gentillesse, j'ai pris l'habitude d'aller m'asseoir dans la cuisine pendant que Madame Williams préparait le déjeuner ou le dîner. Je l'aidais à faire le ménage, ou j'allais chercher les casseroles quand son dos lui faisait trop mal et l'empêchait de se pencher. Je faisais ça quand j'étais fatigué de lire, ou fatigué de me cacher ; je me cachais pour me cacher, puisqu'il n'y avait personne d'intéressé à me chercher.

Il y avait habituellement quelque chose que nous pouvions faire ensemble, mais quand il n'y en avait pas, je restais assis et je l'écoutais, enchanté par son langage. Elle était une merveilleuse raconteuse et les histoires coulaient les unes après les autres[8].

C'est dans cette cuisine que j'ai senti le cumin pour la première fois ou que j'ai mordu dans une racine de cardamone, ou que j'ai audacieusement mâché un petit morceau de piment fort. Ici aussi, j'ai tranché du gingembre pour faire une bière au gingembre forte comme de la lessive, et j'ai pour la

---

8. La seule histoire dont je me souvienne encore est celle de « Pas-d'nez » Brackley. L'histoire était que Pas-d'nez, qui n'avait pas de nez et était un des hommes les plus laids de Trinidad, attirait quand même les femmes de temps à autre, même s'il n'était pas intelligent, même s'il n'avait pas d'argent, même s'il était de « basse classe »...

L'histoire allait à peu près comme ceci : « Y'avait une bonn' femme qui prenait un verre au Pot-de-Poivre avec Pas-d'nez pi la bonn'femme a envie d'emmener Pas-d'nez à la maison pour lui tenir compagnie mais a veut pas êt' vue avec Pas-d'nez qu'a pas d'classe pi elle reste chez des gens d'la haute bien en haut dans St. Claire. Alors a dit à Pas-d'nez qu'i faut qu'i touche à rien, qu'i faut qu'i s'approche pas des f'nêtres, parce qu'elle a peur que quelqu'un voie Pas-d'nez dans la maison des gens d'la haute. J'sais pas c'qu'elle lui voyait, c'te bonne femme, à Pas-d'nez, un homme pas bon pas bon. Y'a des femmes comme ça, qu'ont pas d'tête, t'sais. Y'avait dû lui dire "belle-belle" et « on va passer une belle nuit ensemble », j'sais pas... Le lendemain matin la pauv' bonn' femme s'réveille et qu'est-ce qu'a voit ? Y'a Pas-d'nez Brackley sur l'balcon des gens d'la haute, y'est en caleçons, pi y parle aux voisins à tue-tête :

— Allô les voisins ! Fait beau, non ? B'jour Ma'mme ! Comment ça va les enfants ?

La bonn'femme est tellement gênée qu'est obligée de partir de St. Claire pi d'déménager loin loin à St. Fernando... »

(La raison pour laquelle je demandais à Madame Williams de raconter encore et encore cette histoire, c'était pas parce que je la comprenais, mais parce que je prenais un énorme plaisir à l'entendre imiter Pas-d'nez Brackley sur le balcon.)

première fois senti l'odeur du karkadé qui bout pour devenir mon breuvage favori. (Je n'en ai pas bu, ni du Mauby, depuis des années. Je n'ai jamais appris à les préparer et quand Madame Williams est partie, Henry n'a pas eu le cœur d'en faire lui-même.)

Pendant qu'il attendait une réaction ou une autre durant ses expériences de chimie, Henry avait l'habitude de s'asseoir avec moi à la table de la cuisine. Il écoutait en silence la voix de Madame Williams, en ouvrant les pots de chutney pour les renifler, et en m'aidant à rouler la pulpe de tamarin dans le sucre. Petite distraction pour un adulte, me disais-je, mais il passait tellement de temps dans la cuisine que j'ai fini par comprendre qu'il avait une réelle affection pour Madame Williams.

Madame Williams dirigeait la maison tout entière. Elle avait les clés des pièces les plus secrètes : le laboratoire et la chambre de Henry.

C'est bien vrai qu'elle n'était pas pressée de faire le ménage et certains coins de la maison avaient toujours l'air en désordre, mais l'époussetage n'était pas son plus grand talent ; et puis, il n'y avait personne pour la critiquer. Henry était satisfait, ma mère était souvent sortie se chercher un emploi, et je l'aimais trop pour me plaindre.

Si elle avait un défaut, c'était son attitude envers ma mère. Elle était un peu rancunière. Elle n'acceptait pas que ma mère ait involontairement envahi une partie de son territoire et usurpé une bonne partie de son autorité. La position de Henry dans l'affaire ne laissait par ailleurs aucun doute. Je me souviens d'avoir entendu Madame Williams dire :

— D'où elle vient, M'zelle MacMillan ? Comment elle peut me dire de pas mettre de piment dans le riz aux pois ?

— Je sais que ça te contrarie, Hilda, mais ça me blesse de t'entendre parler ainsi. Si Kata ne veut pas de piment, il faut jeter les piments.

Henry n'était pas fâché, mais je voyais bien que Madame Williams était blessée. Peut-être qu'elle ne voulait que tâter le terrain, voir jusqu'à quel point les paramètres avaient changé, et Henry lui avait indiqué clairement les nouvelles limites de sa vie. Partout, son autorité était circonscrite par ma mère, même ici, au centre de son empire, la cuisine.

— Comme vous voulez, Monsieur Wing. J'faisais que d'mander...

Je pensais que Madame Williams était vieille, mais elle ne devait pas avoir plus de soixante ans. Son visage était foncé et lisse, ses yeux d'un brun doux et, à ma surprise, certaines de ses dents étaient fausses. Sachant jusqu'à quel point la chose me fascinait, elle laissait parfois son dentier dans un verre d'eau salée sur la table de la cuisine. Le henné rendait ses cheveux roux et elle portait souvent un foulard jaune vif pour les tenir en place.

Quand Henry lui a dit de jeter le piment, son visage s'est froncé.

— J'faisais que d'mander...

Et elle lança dans le jardin un petit panier de piments rouges, verts et jaunes.

Même si c'était la première fois que je me rendais compte que Madame Williams était à couteaux tirés avec ma mère, leurs accrochages ont duré bien longtemps, juste au-delà de mon entendement, et ils n'ont abouti que beaucoup plus tard.

Par coïncidence, j'associe la défaite de Madame Williams avec mes premières visites autorisées dans le petit laboratoire de Henry.

Nous vivions rue Cooper depuis quelque temps.

J'étais en septième année à Elgin, une école de pierre de taille et avec des corridors étroits. Les salles de classe avaient une odeur de craie et les pupitres étaient froids le matin. Je ne me souviens pas de beaucoup d'autres choses à son sujet.

C'était ma deuxième année à l'école. Je me sentais à l'aise chez Henry, même si j'avais encore l'impression que ma mère et moi allions partir prochainement.

Non pas que ma mère et Henry ne s'entendaient pas, au contraire. Chacun avait développé des habitudes qui s'appuyaient sur l'autre et ma mère se détendait en sa compagnie. Quant à lui, Henry faisait de son mieux pour ne pas être dans son chemin. Il savait que ses propres sentiments, quelle que soit la subtilité de leur expression, la rendaient nerveuse.

Tu sais, Dieu ait leur âme, mais ils étaient particulièrement étranges, surtout cette année-là. Un simple mouvement de la main ou de la tête paraissait dire tant. Je ne pouvais pas toujours comprendre les sentiments qu'ils avaient l'un envers l'autre.

Le soir, ma mère pouvait aussi bien dire :

— Je pense que nous devrions partir

que :

— Aurais-tu objection à ce que nous restions ?

Quand elle a trouvé du travail au ministère du Revenu, nous avons vraiment passé un moment, pendant les fins de semaine, à chercher un appartement à louer.

Entre-temps, malgré l'ambivalence de ma mère, Henry et moi nous sommes rapprochés beaucoup.

Quand je lui ai parlé de mes premières leçons de chimie, il était satisfait.

— Bon, dit-il. Qu'est-ce qu'on t'a dit au sujet de la chimie ?

On nous avait enseigné l'osmose et la chlorophylle et la photosynthèse. Monsieur Parker, notre professeur de sciences, dessinait des plantes vertes, un soleil jaune, des nuages blancs et un ciel bleu avec de la craie de couleur sur le tableau.

— Osmose *et* photosynthèse ?

— Oui, les deux.

— Est-ce que c'était intéressant ?

— Oui. Les plantes transforment le dioxyde de carbonne et l'eau en...

Nous étions dans la bibliothèque et j'avais en main le grand livre sur les fleurs qui avait d'abord initié notre conversation. C'était après l'école, mais au moins une heure avant que ma mère ne rentre à la maison.

— Si tu as quelques minutes, Tom, j'aimerais beaucoup te montrer quelque chose.

Prenant la clé dans la poche de son pantalon, Henry ouvrit la porte du laboratoire et m'y fit entrer.

Ça n'était pas ce à quoi je m'attendais, mais ça n'était pas décevant du tout. D'abord, c'était d'une propreté impeccable. Le sol de lino blanc, les murs blancs, le plafond blanc. Tout était immaculé. Il y avait une fenêtre. Elle donnait sur la maison voisine et en dessous, il y avait un évier profond en aluminium avec des robinets reluisants et des chantepleures brillantes.

Au milieu de la pièce, il y avait une longue table étroite en bois massif sur laquelle apparaissaient des vases à bec, des éprouvettes et ce qui ressemblait à des bouchons de caoutchouc noir.

Le long du mur, des tablettes en métal, chargées de pots, avec d'autres vases et des contenants de verre de toutes les formes remplis de poudres, de liquides ou de solides aux couleurs étonnantes. Et suspendue comme un portrait de famille à côté de l'une des tablettes, il y avait une élégante table des éléments en trois dimensions, avec un échantillon ou une représentation de chaque élément avec son nom, son numéro atomique, son symbole et son poids.

Henry prit du mur la table et la mit entre mes mains.

— Tom, ceci est la chose la plus importante du laboratoire. J'aimerais que tu la gardes pour un bout de temps. Si tu apprends les noms et les nombres de tous les éléments, nous allons en brasser quelques-uns ensemble… Ça te plairait ?

— Beaucoup, dis-je.

L'idée de faire des expériences m'enthousiasmait, comme tous les enfants de onze ans. Rien que l'idée de mélanger dans une éprouvette des produits chimiques, de faire de la nitroglycérine, de voir des liquides changer soudainement de couleur et déborder en bulles… C'était plus excitant que n'importe quoi.

J'ai pris un peu plus d'une semaine pour apprendre par cœur les symboles, les noms et les nombres. À ce jour, je peux encore regarder des choses, comme un bracelet d'argent, par exemple, et penser : « 47, Ag.107.868 *Argentum* » comme si la table était devant mes yeux.

Je n'ai pas pour autant eu immédiatement accès au sanctuaire, cependant. Pendant des jours après que j'ai dit avoir mémorisé la table, Henry me posait encore des questions sur les symboles et les nombres.

— Tom, j'ai oublié l'élément qui est 70, t'en souviens-tu ?

— Tom, c'était quoi, déjà, le symbole pour le fer ?

— Tom, Iridium, c'est 42, n'est-ce pas ?

Ça n'est que quand Henry a été convaincu que je maîtrisais la table que nous avons fixé un jour et une heure pour créer du chlorure de sodium.

— Du chlorure de sodium ?

— Du sel.

Du sel ? Quelle déception. Parmi toutes les choses qu'on pouvait créer, le sel était sûrement la moins intéressante.

— D'accord, dis-je.

— Tu ne veux pas faire du sel ?

— Je suppose que oui…

— C'est humble, mais c'est un très beau composé… Bien sûr, on *pourrait* commencer avec quelque chose d'un peu plus attirant. Aimerais-tu faire de l'or, par exemple ?

— De l'or ? Est-ce qu'on peut faire de l'or ?

— Bien sûr, répondit Henry.

Il sourit et mit son bras autour de mes épaules.

— Nous allons le faire à l'ancienne, dit-il.

« À l'ancienne », finalement, ça voulait dire transformer un élément vil en or après une série de croisements avec l'*élixir*. On appelait ça transmutation puisque chaque élément, en principe, avait le potentiel de se tranformer en or, l'élément le plus élevé.

Henry parlait de tout cela comme si c'était sans mystère. Pour m'aider à comprendre le processus, il ajouta que l'élixir ou grand magistère fonctionnait de la manière la plus banale. Il montrait leur potentiel aux éléments placés en dessous de l'or (de l'hydrogène au platine), et il rappelait aux éléments situés au-dessus (à partir du mercure) leur moment le plus élevé.

Tout cela me paraissait parfaitement sensé.

— Est-ce que je peux voir le grand magistère ? demandai-je.

— En fait, Tom, il va falloir que tu ailles chercher l'élixir à ma place. Il y a tellement de voleurs en ville que je le cache où personne n'irait le chercher.

C'était bien vrai. Nous sommes sortis dans la cour arrière.

Une fois dans le jardin, Henry s'est tourné vers la maison et il a dit doucement :

— Est-ce que tu vois cet espace sous la véranda ?

— Oui.

— Je veux que tu te glisses là et que tu rampes vers la porte de la maison. Il y a un sac de papier. Dans le sac de papier, il y a une pierre. Apporte-la moi, s'il te plaît.

Il disait cela avec une telle solennité que j'étais enchanté de ramper sous la véranda. Il y avait des araignées et des fourmilières partout. C'était sûrement sinistre et obscur, mais je n'ai pas remarqué. Exactement là où Henry avait dit qu'il serait, il y avait un sac de papier et dans le sac de papier, il y avait une pierre. Il n'y avait pas d'autre nom. Je l'ai tenue dans ma main pour en sentir la puissance et je l'ai sentie même si, par le peu de lumière qui venait des fissures des planches de bois de la véranda, je voyais bien que c'était une pierre.

— Merveilleux, dit Henry quand je lui ai donné le sac de papier. Maintenant, va te laver. Nous continuerons demain.

— Demain ?

— Oui, Tom, tu n'as pas confiance en moi ?

— Mais...

Ce n'était pas une question de confiance. J'avais encore moins confiance en lui qu'en ma mère quand elle m'avait demandé de voler, mais je croyais en Henry ; je croyais que le magistère était mystérieux et puissant. Demain ?

— Mais...

— Va te laver, Tom. Ne t'inquiète pas.

Ce soir-là, je suis resté éveillé pendant des heures à me demander comment fonctionnait le magistère. Je comprenais qu'il puisse rappeler sa place au mercure, mais pour le verre ? Si nous pouvions changer le verre en or, je passerais mes jours à ramasser les bouteilles en faisant du vrai argent avec elles, plutôt que des sous noirs que je gardais pour acheter des bandes dessinées.

Et qu'est-ce que je ferais précisément avec l'argent ?

Évidement, j'avais des envies typiques d'un enfant de onze ans. Je voulais des bicyclettes (CCM), des piscines et des go-carts. Je voulais une immense maison sur un terrain très grand ; des animaux, des espadrilles, une radio à ondes courtes... et maintenant que tout cela était à ma portée, j'avais de la difficulté à rester en place.

Les pièces de ma maison de rêve étaient grandes et blanches, avec des fenêtres qui donnaient sur des ruisseaux et des prairies. Les livres que je voulais étaient reliés en cuir foncé et pleins d'illustrations lumineuses. Un des ces livres en particulier, que j'ai sûrement vu en rêve même si je ne me souviens pas d'avoir dormi, était si parfaitement dessiné que quand je l'ai ouvert à une planche sur des araignées, des araignées s'en sont échappées (minuscules, précises et noires comme de l'encre).

C'est ce que je croyais que l'or pourrait me donner.

Le lendemain matin, j'étais aussi éveillé que si j'avais très bien dormi. J'attendais avec impatience la fin du petit-déjeuner. Je voulais que ma mère parte au plus vite, que Henry m'appelle au laboratoire. Tout s'est passé lentement. Le petit-déjeuner n'en finissait plus ; ma mère ne partait pas ; et Henry était tellement contrarié par les ratons laveurs qui avaient fait des trous dans le jardin qu'il ne pensait qu'à la manière de s'en débarrasser. Il ne paraissait pas du tout intéressé à l'or.

— Est-ce que nous n'allons pas au laboratoire aujourd'hui ? lui demandai-je.

— Je m'excuse, Tom, bien sûr que nous y allons.

Et finalement, même si sa tête était ailleurs, Henry m'amena au laboratoire.

Je me souviens précisément de quoi avait l'air le laboratoire ce matin-là : magique. C'était évident que Henry n'avait pas du tout oublié notre mission. Sur la table habituellement vide, il y avait toute une armée d'éprouvettes, de bouchons, de pipettes, d'alambics et de brûleurs Bunsen. C'est une des rares occasions dans ma vie où le monde extérieur a ressemblé à l'image que je m'en faisais. Je n'aurais pas ajouté un vase ou enlevé un tube.

— Alors, Tom, qu'est-ce que tu vois ?

J'ai décrit tout ce que je voyais autour de moi.

— C'est parfait, dit Henry.

Il pointa vers le deuxième et le troisième alambics dans la rangée de quatre.

— Eh bien, c'est là que va se passer le vrai changement. Ne perds pas ces deux-là de vue.

Dans le deuxième alambic, il y avait une pierre noire dans un liquide clair ; dans le troisième, une pierre blanche dans ce qui paraissait être le même liquide, trop épais pour être de l'eau, trop clair pour être du mercure, quoique les pierres, lisses et rondes comme des billes, semblaient flotter dedans.

— Surveille bien, Tom.

Henry prit la pierre que j'avais récupérée du dessous de la véranda et la plaça dans le dernier vase à bec de la série, un vase rempli de... ?

— D'eau

dans laquelle, à ma surprise, la pierre flottait.

— Qu'allons-nous changer en or ? demanda Henry.

— Je ne sais pas...

— Bon, alors pourquoi ne pas prendre ce que j'ai dans ma poche ?

— D'accord.

Henry alluma les brûleurs en dessous des alambics, ajusta précisément leur flamme et tira ensuite de sa poche un sac de papier tout froissé. Il y avait dedans quelque chose qui ressemblait dangereusement à de la terre, mais il fit délicatement et cérémonieusement glisser le contenu dans le premier alambic.

— Qu'est-ce que c'est ? demandai-je.

— De la crotte de raton laveur, dit-il.

Au moment d'arriver à ébullition, le liquide dans le premier alambic tourna au brun et poursuivit son chemin par une pipette vers le second alambic. Là, la pierre noire était comme de l'encre. Le liquide est devenu encore plus foncé et s'est déplacé vers le troisième alambic où, miraculeusement, il est devenu blanc et s'est transformé en mousse en passant vers le dernier alambic où le magistère flottait.

Quand le processus a été terminé, et comme il n'y avait plus de crotte dans les trois premiers alambics, Henry éteignit délicatement les brûleurs. Nous avons attendu que les choses se refroidissent un peu et il versa ensuite le liquide blanc et le magistère lui-même sur une pièce de coton tendue sur un plateau peu profond. Puis il versa délicatement de l'eau chaude sur le tissu.

Je ne peux décrire mon excitation quand une fine couche d'or est apparue à la surface des scories blanches. J'ai regardé le visage de Henry et j'ai constaté qu'il me fixait. Il sourit, comme pour dire :

— Oui, c'est merveilleux.

— Est-ce qu'on peut le refaire ? lui demandai-je.

— On pourrait changer des crottes en or aussi souvent que tu veux, Tom, mais est-ce que ça ne serait pas décevant ?

Je n'aurais pas trouvé ça décevant du tout, mais j'ai hoché la tête avec sagesse, comme si j'avais compris, et je l'ai regardé démonter le jeu d'alambics.

— Est-ce que je peux le garder ? demandai-je en pointant vers l'or.

— Bien sûr, Tom, mais où vas-tu le mettre ? Tu sais bien que tu ne peux garder de la poussière dans ta poche.

Nous avons mis la poudre dans une enveloppe adressée à « M. Henry Wing esq. ». J'ai plié l'enveloppe en deux, et encore une fois en deux de façon à ce qu'elle ait sa place facilement dans le fond de la poche de mon pantalon. (Je les ai encore, l'enveloppe et ce qui reste de la poudre d'or. Même si le papier est foncé maintenant, et si l'adresse n'est lisible que quand on sait où regarder, c'est l'enveloppe qui a le plus de valeur pour moi maintenant.)

— Merci, Henry, dis-je.

— De rien du tout, répondit-il. Ferme la porte en sortant, s'il te plaît, Tom.

Il se laissait déjà distraire par la prochaine chose.

Je comprends que Madame Williams n'ait pas aimé ma mère, mais je ne comprends pas comment elle a pu sous-estimer autant la force de son caractère. J'avais moi-même mal jugé ma mère, bien sûr, prenant sa voix douce et son apparence calme pour des signes d'un esprit tranquille et d'une vision équilibrée des choses, mais je n'étais qu'un enfant. Madame Williams aurait dû avoir plus de bon sens.

Quelque temps après les jeux de Henry avec le magistère, l'atmosphère à la maison a commencé à s'aigrir.

Ça devait être à la fin de l'automne ou au début de l'hiver. Henry et moi avions déjà fait notre pélerinage à la joaillerie pour échanger une partie de mon or contre des dollars. Le joaillier, un homme aux cheveux gris et aux mains tremblantes, me regarda avec une attention embarrassante et brandit une quantité étonnante d'argent ; soixante-dix-neuf dollars en petites coupures, la plus grande quantité d'argent que j'aie jamais vue alors et, à bien des points de vue, que je verrais jamais. À la sortie du magasin, les rues étaient blanches de neige.

La guerre n'était pas ouverte entre ma mère et Madame Williams ; quoique ma fièvre de l'or ne m'a pas empêché d'être conscient des tensions qui existaient. En fait, j'étais tellement obnubilé que je pouvais à peine suivre à l'école et même si j'avais juré de garder le secret, je mourais d'envie de raconter à mes amis comment Henry avait transformé de la crotte de raton laveur ; mes amis, c'était Rachel et Mickie Jordan, Todd Roberts et Howie Redhill.

Malgré les références sporadiques et méprisantes de ma mère à Madame Williams, je tenais pour acquis que la place de chacune était établie. Henry avait si clairement pris le parti de ma mère lors de l'incident des piments, je ne voyais pas comment Madame Williams aurait pu s'y méprendre.

Je m'étonne maintenant de penser qu'elle ait pu même souhaiter se battre. Ma mère n'était pas du tout à l'aise dans le rôle de « Maîtresse Wing ». Si Madame Williams avait seulement attendu patiemment, humblement, elle aurait sûrement fini par reprendre le pouvoir et le séjour des MacMillan chez Henry Wing n'aurait été qu'un interlude.

Mais il y avait en elle quelque chose qui refusait ma mère. Madame Williams pouvait être gentille, mais elle ne pouvait pas être humble ; prévenante, mais pas modeste ; joviale mais pas hypocrite.

Je lance des idées sur des choses que je ne connais pas du tout. Il est tout aussi possible que Madame Williams ait été tout à fait intéressée, que Henry ait été un bienfaiteur qu'elle refusait de partager et, qui sait, elle était peut-être amoureuse, à sa façon, de Henry.

Ce que j'ai remarqué, et encore, seulement de temps à autre, c'était les petits signes d'un conflit, des choses ambiguës jusqu'à la défaite finale de Madame Williams :

- ses mains tremblaient quand elle plaçait un plat devant ma mère
- elle se tenait raide en présence de ma mère
- sa voix n'avait plus de timbre quand elle parlait à ma mère
- elle commença à dire que j'étais un « enfant malheureux » et à s'occuper de mon éducation en m'enseignant des chansons anciennes ou surprenantes comme *Caroline* et « De la poudre Johnson pour poudrer tes foufounes »

Comment ma mère a-t-elle réagi ?

- elle était, parfois, exagérément gentille
- le soir, elle avait parfois des mots peu aimables au sujet de Madame Williams : « cette vieille... », « cette ratatinée... », « cette vilaine... »

Et Henry ?

- il paraissait se rendre compte encore moins que moi de l'insubordination de Madame Williams et des réactions de Katarina

Alors la fin inévitable du règne de Madame Williams a eu lieu en hiver, quelque temps après que j'aie échangé ma poignée de poussière contre de l'argent.

Un drôle d'échange avait eu lieu entre ma mère et Madame Williams. Ma mère avait mentionné au passage que c'était bizarre de porter des pantoufles dans la maison.

Madame Williams, qui portait des pantoufles, s'est sentie blessée. Elle s'est redressée et elle a traîné ses pieds hors de la salle à manger sans dire un mot, comme si elle supportait dignement la blessure. À partir de ce jour-là, elle ne porta plus que des chaussures sans chaussettes, toujours les mêmes chaussures : noires, avec un talon bas ; des chaussures qui, malheureusement, ressemblaient à une des paires de chaussures de ma mère.

Et un soir, peut-être un mois après l'incident des pantoufles, au moment de me dire bonne nuit, ma mère a finalement mangé le morceau :

— Je ne peux plus supporter cette femme, dit-elle.

— Qui ?

— Elle nous gâche la vie.

— Qui ?

— Madame Williams. Je ne comprends pas pourquoi Henry la garde.

— Madame Williams ?

Je voyais bien que ma mère était contrariée. Même si sa voix était douce, elle avait placé sa main sur mon épaule.

— Tu n'as pas remarqué ses chaussures ?

— Ses chaussures ?

— Elle a pris mes chaussures.

— Elle les a empruntées ?

— Elle les a prises.

La raison pour laquelle Madame Williams aurait pris les chaussures de ma mère n'était pas claire à mes yeux et, après l'incident d'Alliston (ou de Bradford), je n'étais pas enclin à croire ma mère, mais elle fit une chose tout à fait inattendue. Ma mère m'a demandé de dire que j'avais vu Madame Williams prendre ses chaussures.

— Mais je ne l'ai pas vue prendre tes chaussures, lui dis-je.

— Tu n'as rien vu avec tes yeux, répondit ma mère, mais c'est sans importance.

Quelle élégance.

J'ai toujours été sujet aux ruses et même si ma mère ne s'abaissait pas toujours à de telles manœuvres, son esprit était particulièrement rusé quand elle le souhaitait. Alors qu'importait que je n'aie pas « vu avec mes yeux » ? Cette affaire n'avait pas à voir avec des chaussures ; ni avec un vol, ni avec une culpabilité. Madame Williams avait à un tel point empoisonné le petit univers que nous partagions que ça ne pouvait plus continuer comme ça. Il fallait qu'elle parte ou bien nous devrions partir nous-mêmes. Et s'il fallait une petite manœuvre pour faire partir cette femme, pourquoi pas ?

J'avais adoré Madame Williams, mais j'ai pris le parti de ma mère. Cette manœuvre créait une nouvelle complicité entre nous.

Le lendemain soir, chacun était à sa place autour de la table, Henry, ma mère et moi. Madame Williams avait préparé un dîner très élaboré, une nourriture qui était déjà un défi, avec juste assez d'épices pour donner un picotement aux lèvres.

Je me souviens très précisément de ces derniers moments avec Madame Williams : imperturbable, silencieuse, plutôt fragile, comme flânante, la tête penchée, avec les chaussures qui claquent sur le plancher. Tout chez elle annonçait la fatigue d'une longue journée, mais elle maintenait quand même sa petite provocation, une froideur envers ma mère, croyant peut-être qu'elle pourrait quand même lui survivre, que ce repas en était un de moins qu'elle aurait à préparer pour « M'zelle MacMillan ».

À la fin du repas, ma mère rappela Madame Williams à la salle à manger et dit doucement :

— Henry, Thomas a quelque chose à nous dire.

Les trois m'ont regardé et je les ai regardés à mon tour, fasciné par le déroulement de la scène, pas du tout nerveux, simplement curieux de voir l'effet qu'auraient mes mots.

— Madame Williams a volé les chaussures de ma mère, dis-je.

C'était sensationnel de le dire.

— Pardon ? dit Henry.

— Madame Williams a volé les chaussures de ma mère.

Henry m'a regardé, comme si quelque chose de fondamental lui avait échappé.

— Moi j'ai volé les chaussur' d'la mère ? demanda Madame Williams.

Elle me regardait comme si j'avais parlé dans une langue étrangère.

— Elle les porte maintenant, répondit ma mère (doucement).

— Pas vrai ! dit Madame Williams (froidement).

Comme tout cela était absurde. Il aurait fallu que Madame Williams fût vraiment idiote pour voler les chaussures de ma mère et se balader dans la maison en les portant. Et pourtant... peut-être que Madame Williams pensait que ma mère ne se rendrait pas compte de leur disparition ou, l'ayant découverte, qu'elle serait trop polie pour en parler. Par respect pour Henry, je laisse autant de place possible pour la culpabilité de Madame Williams, mais je pense qu'il a dû voir le ridicule de toute l'affaire.

Après que j'eus dit ce que j'avais à dire, les adultes se sont détournés de moi.

— C'est pas vrai, répéta Madame Williams.

Un silence a suivi, un silence qui s'allonge et se racourcit dans ma mémoire, des moments pendant lesquels Madame Williams se tenait aussi droite qu'elle le pouvait, avec ses cheveux roux retenus derrière ses oreilles.

Malgré l'absurdité de l'accusation, ma mère ne dit pas un mot pour l'appuyer. Elle regardait calmement Madame Williams, jusqu'à ce que Henry dise :

— Je suis vraiment navré, Hilda... J'ai bien peur que vous ayez à nous quitter.

— Mais M'sieur Wing, ces chaussur' peuvent pas y faire à M'zelle MacMillan !

Un point important et, pour le mettre de l'avant, elle retira difficilement ses chaussures en se penchant vers la table pour les rapprocher l'une de l'autre.

Personne ne regardait les chaussures.

— Je suis vraiment navré, répéta Henry, mais vous allez devoir nous quitter.

Un autre silence tendu, où Henry fixait son assiette et ma mère fixait la vieille femme jusqu'à ce qu'elle dise, avec toute la dignité dont elle était capable :

— C'est moi suis navrée pour vous, Henry.

Pendant mon existence, j'ai vu des milliers et des milliers de personnes sortir d'une pièce. Ce n'est jamais la même chose. Même si on reste derrière, il y a des personnes qu'on accompagne à l'extérieur, et d'autres qu'on abandonne en ne bougeant pas. Madame Williams portait un chandail blanc. (Sa robe descendait jusqu'aux mollets, bleu clair. Son dos était étonnement étroit.) À l'époque, sa sortie ne me parut ni triste, ni pathétique. C'était la conclusion logique de quelque chose, et même s'il m'est arrivé de croire que j'avais abandonné Madame Williams, quelque chose de moi est parti avec elle.

— Merci, dit ma mère au moment où Madame Williams sortait.

— De rien, Kata, répondit Henry.

Rien que ça.

Et pourtant…

L'incident fleurit dans mon subconscient, si j'en ai un, comme il dû le faire dans celui de Henry.

C'est une floraison difficile à circonscrire. Si le départ de Madame Williams me perturbe, c'est moins parce que j'ai menti qu'à cause de ma manière de mentir. Ce devait être clair pour tout le monde que mes mots n'étaient qu'un prétexte, une preuve que je prenais le parti de ma mère dans cette campagne. Je n'étais qu'un catalyseur. En fait, ça n'était pour ainsi dire pas un mensonge. C'était plutôt un dévouement irréfléchi.

Et je n'ai pas été vraiment déçu du résultat. Nous trois, Henry, ma mère et moi, nous sommes rapprochés, quoique brièvement, après le départ de Madame Williams.

Non, ce qui me trouble c'est la facilité, le plaisir fascinant du mensonge, c'est la complète élimination de la pauvre Madame Williams.

Les sentiments de Henry à cet égard sont encore plus difficiles à décrire. Il ne pouvait pas plus que moi être du côté de Madame Williams mais lui, il savait sûrement que nous avions menti. Il devait être aussi déçu de moi que de lui-même et même si ça n'était pas dans sa nature de me punir, l'interruption de la fabrication d'or doit être vue comme un reproche autant qu'une leçon.

Des mois après la défaite de Madame Williams, j'étais encore riche de l'argent fait avec notre or. J'avais acheté des bandes dessinées (*Spider-Man*, *L'Homme de Fer*, *Docteur Strange*), des espadrilles Converse All-Stars, une radio à ondes courtes. Je dépensais allègrement, croyant ma fortune sans limite. Soixante-dix-neuf dollars représentaient tellement d'argent qu'il m'a fallu deux mois pour les dépenser.

À la fin de cette période euphorique, j'ai décidé que j'avais besoin d'un nouveau manteau, quelque chose de plus léger que celui que j'avais, et bleu plutôt que vert. J'étais si heureux de ma décision de faire des achats pratiques que je pris la résolution d'être dorénavant encore plus pratique. C'est-à-dire que j'ai enfin pensé acheter des choses aux autres, pour ma mère ou pour Henry, quoique cela impliquait de faire encore plus d'or pour en avoir assez pour moi.

C'est donc avec un sentiment de largesse, de générosité que j'ai demandé à Henry si nous pouvions faire plus d'or.

— De quoi as-tu besoin, Tom ?

Je lui expliquai en détail l'importance pour moi d'avoir plus d'argent ; je regrettais de découvrir si tard ma générosité mais puisque je l'avais découverte, mon intention était d'en rendre ma mère et lui-même les principaux bénéficiaires. Je pouvais faire tant de choses pour eux.

— De combien as-tu besoin, Tom ?

Croyant qu'il suffirait d'utiliser trois fois plus de crotte de raton laveur, je demandai trois fois plus d'argent que la première fois : deux cent trente-sept dollars.

Sans hésitation, comme si c'était la chose la plus naturelle du monde de donner des centaines de dollars à un enfant de onze ans, Henry fouilla dans la poche intérieure de son costume et sortit cinq billets de vingt dollars.

— Je n'ai pas tout ce qu'il faut maintenant, dit-il. En voici cent. Je te donnerai le reste ce soir.

Il n'a pas compris, me dis-je. Je ne voulais pas son argent. Ç'aurait été mal. Je voulais plus d'or puisque nous pouvions en faire n'importe quand, n'est-ce pas ? Et même si la méthode était un peu plus compliquée, je préférerais, Henry, transformer un peu de crottes de raton laveur.

— Est-ce qu'on peut ?

— Es-tu bien sûr ? demanda Henry.

— Oui, s'il vous plaît.

— Comme tu veux, Tom. Tu sais où est le magistère.

Oui, je le savais. Et même si le printemps n'était pas encore arrivé, et la terre était mouillée, j'ai rampé sous la véranda comme si c'était le lieu le plus ensoleillé de la terre, fier de la confiance que m'accordait Henry en m'envoyant chercher la pierre par moi-même, et très fier de ma nouvelle maturité. Je pensais à un portefeuille en cuir pour Henry, à des gants doublés de fourrure pour ma mère.

Plus tard le même jour, Henry m'appela au laboratoire.

J'étais encore plus excité que la première fois, mais un peu moins fasciné par le mécanisme de la transformation. Le bel horizon de burettes et brûleurs était en place à nouveau, même s'il s'agissait d'une version en pyrex, j'avais hâte de changer l'or en argent, tout de suite, cette fois-ci, le même jour, s'il-vous-plaît-merci.

— Le temps est trop humide pour les crottes, dit Henry. Qu'est-ce qu'on pourrait utiliser ?

— N'importe quoi, dis-je.

— Et si on prenait du coton, Tom ?

— C'est une bonne idée, Henry.

Quand tout a été en place, quand les liquides eurent l'opacité voulue et quand le magistère flotta gracieusement, Henry sortit une poignée de fils de coton d'un tiroir et avec des ciseaux noirs, il les coupa comme une poudre au-dessus du premier brûleur.

— Est-ce que ça va en faire trois fois plus ? demandai-je.

— Ça devrait.

Et quand les particules de coton sont arrivées jusqu'au magistère, elles avaient été transformées ; et après que l'eau eut nettoyé les saletés, on aurait bien dit qu'il y avait trois fois plus d'or.

— Henry ? Est-ce qu'on peut aller chez le joaillier maintenant ?

— Bien sûr, Tom, bien sûr.

Nous sommes allés chez W.A. Irwin Joaillerie, rue Bank, parce que c'était le plus rapproché. Henry m'avait donné un mouchoir propre, au milieu duquel nous avions laissé tomber l'or. Les coins du mouchoir étaient retenus par une ficelle. Je l'ai sorti délicatement de ma poche et je l'ai posé sur le comptoir de verre de Monsieur Irwin.

— Combien pouvez-vous nous donner pour ceci ? demanda Henry au joaillier.

— Qu'est-ce que c'est ?

— De l'or.

— Combien de carats ?

— Vingt-quatre.

— Hmmm...

Le joaillier, un homme grand, avec une barbe et des lunettes à montures noires, ramassa un peu de poussière.

— Il n'y en a pas beaucoup, dit-il, en versant la poussière sur le plateau d'une délicate balance. Moins d'un quart... Je n'en ai pas vraiment besoin, vraiment... Dix ? Je pourrai toujours m'en servir pour des petits travaux, des chaînons et autres... Dix, si vous laissez le mouchoir.

— Merci, dit Henry.

J'étais déconcerté et déçu. Sitôt sortis du magasin, je lui demandai pourquoi il n'avait accepté que dix dollars pour tant d'or.

— Il n'y en avait pas pour plus, dit-il.

— Mais il y en avait trois fois plus que la dernière fois !

— Et qu'est-ce que ça veut dire, Tom ?

Je n'avais aucune idée, je ne comprenais pas.

— Monsieur Irwin a triché.

— Pas du tout.

— Mais...

Nous marchions lentement rue Bank, au-delà de la rue Cooper, en route vers Somerset, devant des immeubles gris qui sont encore plus gris dans ma mémoire. À Somerset, nous avons tourné vers l'ouest, nous éloignant de la maison.

— Qu'est-ce qui arriverait si on pouvait faire autant d'or qu'on voulait ? demanda Henry.

Je le regardai.

— On pourrait acheter tout ce qu'on veut, répondis-je.

— Pas pour longtemps, Tom.

Une fois rendus à Bronson, nous avons fait demi-tour, en marchant vers le nord par Lyon, vers l'est par Cooper.

— Un magistère, ça n'existe pas, dit-il.

Dans le fond de chacun des alambics, il y avait de la cire dans laquelle il avait caché des grains d'or.

— Mais...

Il avait donné de l'argent au premier joaillier pour qu'il achète notre poussière d'or.

Quelle farce inutile et cruelle, pensai-je. J'ai pris un moment avant de lui pardonner cette trahison, et encore plus longtemps pour la comprendre, mais Henry n'a pris aucun plaisir à m'humilier.

Comme nous entrions au 77, rue Cooper, il dit :

— Tu aurais dû prendre l'argent, si c'est ça que tu voulais.

Exactement ce que je pensais à l'époque ; je ne voyais pas l'affection mais plutôt le mauvais tour.

# XI

Bien des mois à écrire ceci. Depuis quatre mois que j'écris, je suis surpris de la quantité et du peu de moi dans ces pages. La quantité, même si j'ai écrit au sujet des autres, et pourtant bien peu de détails à mon sujet. De quoi avais-je l'air ? Qu'est-ce que je portais ? Quel était le son de ma voix ?

Et encore, le seul plaisir que je prends à écrire, si on peut parler de plaisir, est celui d'être avec les autres. Tant que je suis avec ma mère, avec Henry, les détails de ma vie paraissent importants. À l'époque dont je parle, ma vie « était » leur vie. Et puis Madame Williams partie, je suis devenu encore plus fasciné par eux.

Est-ce qu'ils s'aimaient ?

J'ai déjà écrit tout ce que je sais au sujet de l'enfance de ma mère, mais peu de ce que je savais m'a aidé à comprendre si elle aimait Henry. Il n'était pas comme M. Mataf, après tout.

Est-ce qu'ils se touchaient ?

Je n'étais pas à l'aise avec leur vie sexuelle. Je n'aime pas les imaginer l'un ou l'autre nu, mais ils étaient tous les deux tellement sensuels, ils ne pouvaient pas vivre ensemble sans se toucher et, sans vraiment le savoir, je savais qu'ils se touchaient.

Mais comment ?

Leur sensualtié s'exprimait de manières différentes, bien sûr. En apparence, ma mère n'était pas aussi « raffinée » que Henry. Je ne crois pas qu'elle aurait eu besoin de manuscrits persans du XVIIIe siècle, de la lumière de bougies ou de la musique de *Didon et Énée* de Purcell pour être inspirée.

Mais quant à Henry…

Quand elle a l'a choisi comme refuge, ma mère était en désarroi. Nous étions en route pour Montréal et une vie avec M. Mataf. Notre longue marche jusqu'à Ottawa n'avait certainement pas été prévue.

Et pourtant, elle est entrée dans la maison avec assurance ; elle en connaissait l'aménagement, elle savait où le trouver, elle pouvait compter qu'il interromprait quoi que ce soit qu'il était en train de faire pour lui parler. Elle devait aussi savoir que Henry n'aurait pas objection à nous prendre avec lui. Autrement, je ne peux croire qu'elle se serait imposée.

Ces choses sont fondamentales au sujet d'une autre personne. Peut-être que, longtemps avant, Henry avait dit : « Kata, si jamais tu as des problèmes, laisse-moi t'aider. » Sa sincérité avait dû l'impressionner, la convaincre que « laisse-moi t'aider » voulait dire laisse-moi t'aider.

Lors de ce longtemps avant, quelque chose d'essentiel avait dû s'échanger entre eux (confiance, fiabilité, paroles chaleureuses…) et la Katarina de vingt-neuf ans, abandonnée à Manotick, se rappelant leur intimité, a pris le chemin de chez Monsieur Wing, de sa maison.

(C'est ma propre interprétation des choses, bien sûr, cette question de confiance et de paroles chaleureuses. N'est-il pas possible que Henry et elle se soient rencontrés brièvement, que Henry soit devenu amoureux et qu'il ait offert tout ce qu'il pouvait pour la séduire ? Ma mère, voyant son avantage et sentant qu'elle avait ce qu'il fallait pour le tenir à sa parole, s'est familiarisée avec la maison et est partie en lui laissant une arme puissante : son engouement pour elle.

Et c'est ce qu'elle a utilisé quand elle s'est retrouvée en difficulté.

C'est sûrement une version trouble de l'état d'esprit de Katarina, mais si j'ai donné l'impression qu'il était possible que ma mère se comporte de cette manière, ça n'est pas ce que je voulais dire et je pense que je peux éliminer cette version improbable avant la fin de cette parenthèse.

Au départ, Henry n'était pas aveugle. Ma mère n'aurait pas pu le convaincre qu'elle était capable d'aimer si ça n'avait pas été vraiment possible.

Et puis ma mère détestait la faiblesse ; chez elle, chez moi, chez Henry. Elle aurait répugné à vivre avec un homme qui

a. n'aurait pas distingué l'affection de la manipulation ;
b. se laisserait utiliser de façon aussi évidente.

Et finalement, même si elle savait manipuler les gens, ma mère était une manipulatrice habile et imprévisible, une artiste qui aimait son art. Quel talent y aurait-il eu à manipuler un Henry qui aurait été faible ?

Ces temps-ci, quand je contemple la vie de ma mère, ou les portions que j'en connais, je pense à elle comme à une femme qui a appris tôt à se défendre dans un environnement hostile : Petrolia. Elle s'est morcelée en plusieurs fractions pour cacher l'essentiel. Elle était une personne pour sa mère, une autre pour ses amis et encore une autre pour les étrangers. Elle était une personne idéale pour Henry, et pour moi, elle était bien des choses.

À part une grossesse accidentelle — moi, quoique je n'exclus pas la possibilité d'avoir été un enfant de l'amour — elle a tracé sa vie sans souvent perdre le contrôle d'elle-même quoiqu'elle a souvent tenté désespérément de le faire — en amour, par exemple.

Tout cela rend impensable une simple supercherie envers Henry. Cela n'aurait pas répondu à ses besoins. Dès le départ, il devait y avoir une affection certaine entre eux.

CQFD. Fin des parenthèses.)

L'âge de ma mère a fort bien pu jouer un rôle dans sa décision de rester chez Henry. Maintenant que j'ai moi-même dépassé le cap des vingt-neuf ans, je comprends qu'elle était à un moment dans la vie où le futur offre moins de possibilités de changement. En emménageant chez un homme qui l'aimait, elle courtisait peut-être le changement.

C'était en tout cas un cadre intéressant où le trouver.

La maison de Henry, Henry lui-même, le comportement de Henry… tout cela était bien particulier.

Pourquoi est-ce qu'un homme du vingtième siècle, et Trinidadien d'origine, déciderait de vivre dans un cadre victorien, avec un laboratoire de gentleman, des vieux livres, des habitudes courtoises qui l'auraient fait passer pour vieux jeu il y a des siècles ?

J'ai parfois pensé que Henry était un homme égaré, un excentrique. Je l'ai trouvé ridicule ou bizarre, selon la distance temporelle, physique ou psychologique où je me trouvais de lui. Dernièrement, cependant, je le vois comme une version différente de ma grand-mère.

Ils avaient des personnalités tout à fait différentes, mais l'affection fanatique de ma grand-mère pour Lampman et Dickens, son rejet de tout ce qui pouvait la rattacher à Trinidad, tout cela avait son écho chez Henry.

Il est né en 1927 à Port-of-Spain. Ses parents sont disparus quand il était jeune et, après leur mort, Henry est allé de parent en parent, comme une chaise, jusqu'en 1934, quand il a été envoyé vivre chez le « troisième cousin du second cousin d'un premier cousin » qui venait de déménager au

Canada, imaginez, et qui avait justement besoin d'un employé qui ne coûterait pas cher pour un petit dépanneur dont il était propriétaire à Sandy Hill, la Côte-de-Sable.

Le cousin éloigné de Henry, un ogre aux cheveux blancs nommé Maurice Wing, a été très déçu de voir arriver un petit maigrichon de sept ans plutôt qu'un jeune homme en pleine forme, comme on le lui avait promis, mais il mit Henry au travail de toute façon : balayer, s'occuper de la caisse, mettre les choses sur les tablettes, les enlever. Le plaisir de la lecture ne lui était jamais refusé puisque ça en faisait un caissier plus fiable. Henry était donc un maniaque de la lecture, à lire les livres que Monsieur Wing vendait dans son magasin, ou ceux qu'il empruntait de la bibliothèque, ou ceux qu'il récupérait dans les poubelles du quartier, abandonnés par les étudiants de l'université.

L'enfance de Henry est donc loin d'avoir été idyllique. Il n'avait pas d'amis, pas de temps pour les amis, et personne avec lui sauf la présence sinistre de Maurice Wing. Il n'était pas souvent battu, il mangeait à sa faim et, après un temps, il en vint même à respecter Monsieur Wing assez pour prendre son nom, mais...

Quand le vieil homme est mort, Henry a hérité du magasin au coin de Templeton et Russell. Il l'a vendu le plus rapidement possible et a déménagé.

Ces quelques phrases réunissent à peu près tout ce que j'ai jamais su au sujet de l'enfance de Henry. Je ne me souviens même pas de son vrai nom. Pendant toutes les années où je l'ai connu, je n'ai pas été assez jeune pour qu'on me raconte sa vie au moment de me dire bonsoir, ou assez adulte pour m'y intéresser véritablement.

On pourrait croire que Henry se serait souvenu du Trinidad de sa tendre enfance heureuse, mais je suppose que toutes les visions de l'île lui rappelaient l'abandon dont il avait fait l'objet. Le Canada, son nouveau foyer, a dû lui paraître flou et sans personnalité, ne serait-ce que parce que ce qu'il connaissait le mieux, c'était l'intérieur d'un petit magasin à Sandy Hill, pas un bien grand point de départ, pas grand-chose à aimer. J'en conclus donc qu'il s'est nourri du monde et du temps tels qu'il les a choisis dans les livres qu'il adorait.

Les choses qui l'attiraient — de la fabrication de l'or à Couperin — étaient fascinantes par leur diversité et il accordait à chacune une dévotion quasi mystique. Mais elles parlent tellement peu de son origine que j'ai fini par croire qu'elles servent à camoufler le lieu de sa naissance ; pas aux autres, à lui-même.

La première fois que j'ai vu Henry Wing, il était en compagnie de ce que je prenais pour des femmes. J'ai déjà dit qu'ils étaient peut-être des hommes et, si on parlait de quelqu'un d'autre que Henry, on aurait pu prendre pour une bizarrerie le goût pour les travestis. Il est important de comprendre que, quant à lui, il n'y avait rien d'anormal à s'entourer d'hommes habillés en femmes.

Il n'était pas particulièrement naïf au point de croire que le travestisme était fréquent ou accepté. (Après tout, il vivait à Ottawa, une ville dont la surface réprouve sa propre profondeur.) Si quelqu'un était allé jusqu'à lui demander pourquoi il choisissait une compagnie aussi inhabituelle, comme je le lui ai demandé plus tard, il aurait répondu, comme il me l'a dit, « que c'était bien de se rappeler les femmes en présence des hommes[9] ».

Henry n'était pas un homme agité ou cachottier. Il était à l'aise dans sa propre excentricité et même si ma mère et lui

9. Tu sais, c'est Henry lui-même qui m'a dit que certaines des femmes en visite étaient des hommes. J'avais mentionné leurs parfums extravagants quand il m'en a parlé. Je me demande s'il ne faisait pas de l'humour. Je ne pouvais pas toujours comprendre son humour.

avaient tous les deux une voix mélodieuse, la sienne avait la texture de sa nature.

Ainsi Henry et ainsi Katarina...

Pendant nos premiers mois chez Henry Wing, Katarina disait parfois qu'il l'épuisait. Elle me laissa croire que nous allions rester chez Monsieur Wing seulement jusqu'à ce qu'elle se soit trouvé un emploi, ou jusqu'à ce que nous puissions nous payer notre propre appartement ; mais comme d'habitude chez ma mère, les mots n'étaient pas un guide fidèle de sa pensée.

D'abord, elle n'a pas vraiment commencé dès le début à se chercher un emploi. Elle faisait semblant de chercher, bien sûr, en se levant tôt pour acheter le *Citizen* et en l'épluchant après le petit-déjeuner. Pendant ces premiers mois, si elle avait une profession, c'était celle de lectrice de journal. Elle n'était pas prête à préparer du café pour des hommes en costume, ou à passer ses journées à répondre au téléphone.

Étant donné l'époque et le peu d'éducation qu'elle avait reçue, je m'étonne qu'elle ait pu croire obtenir quoi que ce soit de meilleur. Quel emploi existait-il pour les femmes, sauf servir aux tables et répondre au téléphone ? De plus, à vingt-neuf ans, elle n'était plus toute jeune pour entrer dans la course, et n'avait guère envie de s'asseoir près de l'entrée et de saluer les clients de Monsieur Truc ou Machin, ou les patients du Docteur Ceci ou Cela.

(Bien sûr, ma mère étant la femme qu'elle était, elle ne m'a pas du tout étonné en obtenant finalement un poste qui n'était pas tout à fait de secrétariat dans un bureau où, malgré son manque de préparation, elle reçut moult récompenses pour son talent et son enthousiasme : le ministère du Revenu du Canada.)

Les premiers temps, avant qu'elle ne commence à travailler, Henry restait avec elle dans le salon du rez-de-chaussée où elle lisait le *Citizen*. Il apportait un plateau d'argent avec des poignées blanches ; sur le plateau, une théière grassouillette bleue de Floride et deux tasses blanches. Même si elle en buvait rarement, il lui en versait une tasse pendant que le thé était encore léger (orange brûlée) et attendait jusqu'à ce qu'il soit noir pour s'en servir lui-même.

Ma mère était habituellement assise sur le sofa, les jambes repliées sous elle. Henry se tenait debout, près de la cheminée, sans doute en train de penser à la place de tel ou tel concept dans l'ensemble de son encyclopédie. Il pouvait rester debout pendant des heures, immobile, à contempler, ou bien, s'il avait des choses à lire, avec un livre ouvert dont il tournait tranquillement les pages.

Tous les deux ensemble, comme ça, en silence... c'était à la fois réconfortant et préoccupant.

Cet hiver-là, je passais devant le salon du rez-de-chaussée pour sortir.

— Au revoir, disais-je, je m'en vais à l'école.

Et ils regardaient tous les deux dans ma direction en souriant.

Le petit mystère de cette scène me touchait, bien avant que je sache qu'il y avait mystère. L'allure de la théière bleue sur la table près du sofa, et l'immobilité de mes parents. Et puis :

1. D'où Henry pouvait-il bien tirer ses revenus ?
   (Il avait tant de temps à accorder à Katarina.)

2. Que voulait dire leur silence, exactement ?
   (Pas un silence en général, pas l'absence de mots, mais cette espèce particulière de silence, la tranquillité de ces gens dans cette pièce, jour après jour ?)

Les détails sensuels, la théière, les tasses blanches avec une vapeur qui en montait continuent de flotter dans mon imagination. Je ne sais pas pourquoi Thomas enfant était aussi marqué par ces détails. Je me souviens de la théière, mais ça ne m'apporte pas le même réconfort qu'à l'enfant que j'étais. C'est un souvenir de réconfort, maintenant.

Quant aux revenus de Henry, c'était, jusqu'à un certain point, mystérieux, mais c'était encore plus banal que mystérieux. Il achetait et vendait des actions en bourse ; il spéculait sur le marché boursier. Il était un spéculateur de grand talent, amassant une petite fortune avec relativement peu d'effort ; le mot pour ça n'est pas « mystérieux ».

Et quant au silence... Peut-être que j'y ai mis plus de complexité qu'il n'y en avait vraiment. Je ne suis pas aussi sensible que je l'étais mais, pour moi enfant, la tranquillité d'esprit tenait à la qualité du silence qui occupait le salon du rez-de-chaussée. Dans le temps, je pensais pouvoir faire la différence entre Silence et Tranquillité, entre Tranquillité et Absence de mots, entre Absence de mots et Calme.

C'était une question de juger ce qui s'était passé juste avant que j'arrive sur la scène.

L'absence de mots, c'était comme parler avant de trouver les mots ; le bruit des feuilles du journal, le bruit d'une tasse contre la soucoupe. Les premiers mois, Henry et ma mère étaient sans mots ou, mieux dit, Henry, puisqu'il la précédait dans l'intimité, était silencieux et ma mère était sans mots.

Le silence était autre chose que l'absence de mots, autre chose que l'absence de bruit : un lieu où le bruissement des feuilles d'un journal n'a pas de signification. C'était aussi autre chose que l'immobilité. Le mouvement n'avait pas d'importance. Soulever la théière, tourner une page, réprimer un bâillement... rien de ça n'affectait le sens du silence quoique ça voulait dire quelque chose dans l'absence de mots, et ça voulait dire quelque chose dans la tranquillité.

Au bout d'un certain temps, Henry était tranquille et ma mère était silencieuse.

La tranquillité, c'était la disponibilité des mots, c'était les mots juste avant le silence, ou juste après. C'était une envie de parler, ou une envie d'avoir parlé pleine de l'attente qu'on sent quand le mouvement, ou une attitude du corps, *pourrait* vouloir dire quelque chose. Je veux dire que la Tranquillité c'était, sans mots, l'attente ou l'espérance de mots (dans une direction) et, sans mots, l'écoute et l'entendement de mots (dans l'autre direction).

J'acceptais facilement la tranquillité. Ça faisait clairement partie de l'intimité, un bon signe. Et six ou sept mois après notre arrivée à Ottawa, quand Henry était tranquille et quand ma mère était tranquille, j'avais l'impression que le calme était là, l'état qui m'inspirait à la fois espoir et peur.

Je suis gêné de dire, maintenant que cela a tellement peu de signification pour moi, que dans mon imagination le calme était quelque chose comme être ensemble sans besoin de mots ou de silence, de mouvement ou d'immobilité. C'était le silence vers lequel pointaient tous leurs silences.

Tu pourrais croire que j'aurais adoré les prendre en pleine intimité pareille, et quelque chose en moi *était* heureux. Les quelques fois où je les ai saisis dans cet état de calme, au moment de marcher vers la sortie, ont presque suffi à me donner l'impression d'être à la maison, m'ont presque réconcilié avec l'idée d'être là.

Et c'est cette réconciliation qui m'angoissait.

Si tu additionnes le poids de mes angoisses aux circonstances déjà pénibles qu'elle avait à vivre, c'est un miracle que ma mère ait pu avoir le moindre sentiment envers Henry.

Et pourtant, à l'été 1968, environ douze mois après notre abandon à Manotick, je pense qu'ils étaient amoureux l'un de l'autre, amoureux malgré moi, amoureux malgré leurs différences, amoureux malgré Madame Williams.

Je les avais surveillés de près, cherchant avec acharnement à interpréter chacun de leurs mots, chacun de leurs gestes mais, finalement, j'avais regardé du mauvais côté. Quand j'ai pu constater que leurs sentiments réciproques s'étaient intensifiés, j'étais aussi surpris que s'ils s'étaient connus depuis peu.

C'était un dimanche matin, et nous étions dans la salle à manger.

Cette matinée avait été, en fait, exceptionnelle. Madame Williams et moi étions allés à la boulangerie de la rue Bank acheter des petits pains. Comme tous les dimanches matins pendant le mandat de Madame Williams, nous mangions du Buljol, mais ce jour-là, je l'avais aidée à le préparer.

La cuisine empestait la morue salée. Nous avions lancé les morceaux coriaces de morue dans une casserole d'eau bouillante et après qu'ils aient bouilli pendant un certain temps, nous les avons repêchés, nous avons lavé les dépôts dans la casserole et nous les avons mis à bouillir encore une fois.

Pendant que nous attendions que le poisson soit prêt, ma tâche consistait à couper finement les oignons, les tomates et les poivrons verts. Madame Williams avait fait bouillir deux œufs durs et quand tout a été prêt, elle égoutta le poisson, retira la chair des arêtes et plaça les morceaux dans un grand bol jaune.

Pendant que le poisson était encore chaud, elle versa un peu d'huile d'olive et j'ai tout mélangé (les oignons, les tomates, les poivrons) dans le bol, avec mes mains devenues gluantes et comme mangeables.

C'était un plaisir d'aider de cette façon. Je me sentais proche de Madame Williams. Nous avons jonglé avec les petits pains en les transférant un par un du four jusqu'à un panier d'osier. Et quand tout a été prêt, Madame Williams a tranché les œufs durs et les a déposés délicatement sur le Buljol.

J'étais fier de moi.

— Quelle bonne odeur ! dit ma mère au moment où nous entrions dans la salle à manger avec le poisson et les pains.

— Nous avons là un jeune homme plein de talent, dit Henry.

Ma mère sourit.

« Nous » ?

C'est exactement le moment. Henry dit « nous » là où il avait toujours dit *Je, Tu, Toi, Moi, Tom, Thomas, Kata, Katarina.*

Il n'y avait rien d'intime dans leurs manières à table. Henry mangeait lentement, comme toujours. Il fallait bien calculer pour le saisir au moment où il portait quelque chose à sa bouche. Ma mère mangeait comme toujours, précisément : la fourchette prête, une main sur les genoux, la fourchette chargée, la nourriture absorbée, la fourchette baissée, recommencer.

Mais il y avait quelque chose de différent.

— Merci, Madame Williams, dit ma mère à la fin du repas.

— De rien, M'zelle MacMillan.

Que voulait dire le « nous » de Henry, au juste ? Est-ce que nous allions tous les trois devenir une famille ? Qu'est-ce que je pensais d'une famille, maintenant que c'était possible ? D'imaginer une vie confortable rue Cooper, c'était une chose, mais qu'est-ce que je pensais vraiment de Henry ? Quant à ça, qu'est-ce que je pensais vraiment de ma mère ?

Qu'est-ce que je sentais, au-delà de ce que j'étais obligé de sentir ?

À ce moment-là, flânant à table, brisant mon pain dans le poisson, j'ai senti comme une humiliation. J'avais espéré… j'avais espéré quoi, au juste ?

Mais peut-être que Henry n'avait rien voulu dire de spécial avec son « nous »… juste une petite erreur… un souhait inconscient… un sifflement dans la nuit… Aussi longtemps que la relation entre ma mère et Henry demeurait ambiguë, je pouvais, sans famille, vivre dans l'espérance d'une famille, n'y connaissant pas grand-chose.

Leur relation a rapidement cessé d'être ambiguë.

Dans les jours qui ont suivi, ma mère et Henry n'ont été ni tranquilles, ni silencieux, ni calmes, rien de tout ça. Ils ont commencé à parler dans un registre nouveau. Leurs prétextes pour la conversation — le temps, la poussière, le soleil etc. — étaient des manières de dire « notre temps », « notre poussière », « notre soleil », « notre etc. ».

Mais oui, bien sûr. Il n'y a pas une fraction de la planète qui soit hors d'atteinte pour l'amour. Je peux maintenant le dire avec respect ; mais dans le temps, c'était préoccupant pour moi de les entendre parler de façon intime de choses sans intérêt. Je ne sais pas ce qui me dérangeait plus, les sentiments plus profonds qu'ils ressentaient l'un pour l'autre, leur nouvelle façon de parler ou le fait que j'avais raté le moment où ils avaient commencé à s'aimer.

(Je raconte mes pensées quand j'étais jeune. Peut-être que ma mère n'a jamais aimé que Henry Wing, ou l'a aimé dès qu'elle l'a rencontré, de sorte que l'arrivée au 77, rue Cooper n'était plus qu'un franchissement vers l'Amour.)

Ils avaient même l'air différent, tous les deux. Henry, que j'avais toujours trouvé beau, l'était encore plus maintenant ; plus solide, pas du tout ridicule. Quant à ma mère, avec son beau visage, avec ses yeux bruns qu'on aurait dit plus grands, avec ses sourcils plus foncés... tout chez elle plus aimable et de meilleure humeur quand elle n'était pas à proximité de Madame Williams. Elle portait même des robes. Il y avait en particulier une robe-chemisier toute simple, qui descendait jusqu'aux genoux, dans un tissu paisley, qui lui donnait un air... un air plus femme.

Oui, bien sûr, j'ai senti envers ma mère un peu de l'affaire d'Œdipe, mais je ne l'ai jamais, comment dirais-je, désirée comme je te désire. C'est vers la peur, et non vers le désir, que sa robe me poussait, un précipice plus religieux que sexuel, grâce à Dieu. Car enfin, il était plus préoccupant pour moi que ma mère puisse devenir sexuelle que le fait qu'elle l'était. *Nuance*.

Je me suis parfois demandé si leur apparence avait vraiment changé ou si je suis le seul à l'avoir pensé. À ce stade, la question reste sans réponse, mais l'autre témoin de leur amour, Madame Williams, témoignait d'une anxiété comparable à la mienne.

— Comm' si M'zelle MacMillan elle va épouser M'sieur Wing ? dit-elle un jour.

Nous étions tous les deux dans la cuisine ; elle faisait du pain et moi, je feuilletais un livre intitulé *Della Francesca, ou les ébats de l'amour*. C'est le titre qui m'avait attiré ; quoique après tant d'années à connaître le livre, je ne suis pas allé au-delà de mon admiration pour les illustrations, car le texte est trop difficile pour qui que ce soit, à part Henry.

(Non pas que tous les livres de Henry aient été aussi obscurs au sujet des choses de l'Amour. Après sa mort, j'ai découvert un bon nombre de volumes assez exotiques, des *Délices des cœurs* de Ahmad al-Tifachi à *Thérèse philosophe*, par Anonyme, dans une étagère blanche et poussiéreuse sous la fenêtre de sa chambre à coucher.)

— Non ? demanda Madame Williams.

— Peut-être bien, répondis-je.

Je retournai *Les ébats* vers Madame Williams et pointai vers une des illustrations.

— Regardez, dis-je.

Elle pensait peut-être avoir dépassé les normes en me posant une question au sujet de ma mère. Elle prit le livre. Ses doigts collaient aux pages. Elle l'approcha de ses yeux. Elle se pencha sur la page, puis elle éloigna le livre.

— Bien joli, dit-elle.

Environ quatre ou cinq mois plus tard, quand je l'ai accusée d'avoir pris les chaussures de ma mère, Madame Williams dit :

— C'pas vrai.

Et Henry répondit :

— Je suis vraiment navré, Hilda, mais vous allez devoir nous quitter.

Qu'aurait-il pu dire d'autre ?

Dans l'univers de l'amour romantique, peu importait que ma mère mentît. Ce qui importait, c'est qu'elle était l'aimée de Henry et que sa présence, puisqu'elle était Amour, était aussi Vérité.

Dans cet univers, il importait peu que je n'aie pas vu Madame Williams voler. J'aurais pu accuser Madame Williams de n'importe quoi, de sorcellerie, disons, ou d'avoir incendié les immeubles du Parlement. Si ma mère la condamnait, c'en était fini de Madame Williams.

Et Madame Williams n'avait aucune marge de manœuvre. Si elle avait dit

— C'est vrai, c'est moi j'ai pris les chaussures de M'zelle MacMillan

il y aurait eu encore moins de discussion. Elle ne pouvait obtenir l'indulgence de personne. Il n'y avait que ma mère, et ma mère voulait qu'elle parte.

— Merci, Henry, dit ma mère quand Madame Williams fut proscrite.

Et Henry répondit :

— De rien, Kata

comme s'il lui avait été possible de transgresser les lois de leur univers intime.

Et où est-ce que je me trouvais, moi, par rapport à cet « univers intime » ?

Nulle part.

Pas tout de suite, mais peu de temps après le départ de Madame Williams, j'ai commencé à constater que ce que j'avais souhaité, cette intimité entre Henry et Katarina, n'avait rien à voir avec moi. Je me sentais insignifiant dans leur petit univers de Soleil et Satellite. Ni l'un ni l'autre n'avaient besoin de moi. Leur bonheur ne dépendait pas du mien comme le mien dépendait du leur.

J'avais bien sûr tort de penser ça. Les preuves de leur amour à mon endroit étaient partout. Dans la façon qu'ils avaient de me parler, la manière qu'avait Henry de placer son bras autour de mes épaules, comment ma mère touchait mes cheveux en les caressant avant que je parte. Comment auraient-ils pu aimer tous les fragments de l'univers sans m'aimer moi aussi ? Et pourtant, je prenais tout comme de la condescendance.

Et alors, sans doute par vengeance, ou par légitime défense, ou par frustration, j'ai commencé à voler.

C'était excitant.

Ça n'était pas mon intention, je n'avais pas de motif conscient. Il y avait une pureté dans mes vols, quelque chose de tellement incompréhensible pour moi que c'était comme si je n'avais pas volé du tout.

C'était différent de la méthodique collection de scarabées que j'avais commencée. Chaque scarabée que j'attrapais avait sa place dans le classeur que Henry avait fait pour moi ; chacun y était pour une raison spécifique, de la coccinelle à la luciole.

Il n'y avait rien de raisonnable dans ce que je volais. Ces objets ne m'apportaient aucune satisfaction. Je volais principalement des objets de ma mère, mais je n'étais pas conscient de lui faire particulièrement tort. Je ne vendais pas et je n'utilisais pas la plupart des choses que je prenais. Je cachais tout, sauf pour l'argent que je piquais à Henry. L'argent, je l'utilisais pour acheter des bandes dessinées.

Tu pourrais croire que le vol était un choix évident pour me « venger ». Sans doute, quoique à onze ans je n'étais pas vraiment conscient de ce que je faisais. Quand le moment est venu, quand Henry et ma mère n'ont plus su cacher leurs sentiments, quand Madame Williams a été proscrite, voler est devenu la chose à faire.

La première chose que j'ai volée est un porte-monnaie.

Je l'ai pris pendant que Henry et ma mère étaient dans le salon du rez-de-chaussée. Ils étaient tous les deux assis sur le sofa, à boire du thé, sans doute en train d'écouter du Couperin en parlant tranquillement d'une chose ou d'une autre.

(Dans ce temps-là, ils parlaient de l'école publique Elgin, du ministère du Revenu, des livres de Henry et de son grand projet, de l'état de la maison, du besoin d'un coup de pinceau par ici, d'un bout de papier-peint par là, des meubles que ma mère trouvait trop vieux, d'une voiture, quoique Henry n'avait jamais appris à conduire, des vêtements de ma mère dont Henry pensait qu'ils ne répondaient pas à sa beauté, de mes vêtements, qui devenaient désespérément vite trop petits pour moi… du bavardage, autant que je pouvais comprendre.)

J'étais assis avec eux, en les écoutant sans rien faire, quand j'ai décidé de monter chercher un livre.

— Tu t'en vas, Tom ? demanda Henry.

— Je vais me chercher un livre.

— Qu'est-ce que tu lis, Tom ?

— Je ne sais pas, répondis-je.

— Tu ne sais pas ce que tu es en train de lire, mon chéri ? (Comme si j'étais son chéri.)

— Je m'excuse, Tom, je ne voulais pas t'espionner.

— Descends ton livre, Tom. Tu peux lire avec nous.

— Bon… d'accord.

Je montai les marches le plus lentement possible, pas du tout enthousiaste à l'idée de retourner avec eux. J'ai probablement compté tous les barreaux, quelque chose que je faisais souvent. (Il y en avait 33, 34 ou 35 en tout, dont 22 jusqu'au premier étage, à moins de compter le premier pilastre, ce que j'ai déjà fait, et 11 jusqu'au deuxième, à moins de *idem*, ce que *idem*, sauf pour faire changement.)

Pour une raison quelconque, la porte de la chambre de ma mère était entrouverte. Ça n'était pas habituel. Elle fermait habituellement sa porte à clé. J'ai écouté si j'entendais des pas et, plus par curiosité qu'avec une intention précise, je suis entré dans sa chambre.

Ce n'était pas la première fois que j'entrais dans sa chambre, mais c'était le soir et il faisait noir et j'ai dû allumer la lumière pour m'y retrouver. La chambre était calme et rangée. Le lit de ma mère, aussi long et aussi large que le mien, était placé contre le mur, avec une couette douce et blanche, et une tête de lit en cuivre qui sentait bon le produit qu'elle utilisait pour le polir. La pièce elle-même avait l'odeur de son parfum et de la poudre parfumée qu'elle gardait sur une commode à côté du lit.

Son sac à main était à côté du poudrier et, par simple curiosité, j'ai regardé ce qu'il y avait dedans : un bâton de rouge à lèvres, une lime à ongles, des mouchoirs de papier, des pinces à cheveux, du maquillage pour les yeux... les choses habituelles, je suppose, mais un tel nombre que l'intérieur du sac était un vrai bazar.

Dans le fond du sac, il y avait un portefeuille et un porte-monnaie. Il y avait des dollars dans le portefeuille. J'ai tout de suite pensé prendre l'argent, mais j'avais le porte-monnaie dans la main quand j'ai entendu un silence.

La musique s'était arrêtée. J'ai paniqué. J'ai refermé immédiatement le sac, j'ai mis le porte-monnaie dans la poche de mon pantalon, éteint la lumière de la chambre, fermé la porte puis l'ai réouverte pour la laisser comme je l'avais trouvée.

Ma retraite a dû prendre moins de trente secondes. J'avais peur d'avoir laissé un signe quelconque de ma présence. Courant vers ma chambre, je choisis un livre de valeur, de quoi les impressionner si l'un ou l'autre voulait que je leur lise des passages ; une fois de plus, *Les ébats de l'amour* de Henri Serres, un livre qui a joué un rôle majeur dans mon existence, même si je ne l'ai jamais terminé.

Je redescendis, le grand livre dans les bras et, par mégarde, avec le porte-monnaie de ma mère dans ma poche. Comme j'entrais dans le salon, ma mère dit :

— Tu as fait ça vite.

— Je lisais, répondis-je.

— Quel livre ?

— *Della Francesca ou les ébats de l'amour.*

— Les ébats de l'amour ? C'est... intéressant. Pourquoi ne pas nous en lire un passage ?

— Est-ce qu'il le faut ?

— S'il te plaît ?

J'ai montré mon impatience. Je me suis assis sur le plancher, les jambes croisées, le livre ouvert sur mes genoux. Le porte-monnaie a glissé un peu, alors j'ai gardé une main sur le livre et une autre sur ma poche, de manière à empêcher le porte-monnaie de tomber hors de ma poche.

*« Le visage de sa mère était d'une pâleur effrayante.*
*— Ô mon pauvre Pierre ! Pourquoi ne fusses-tu né ailleurs, ou dans un temps moins amer ?*
*Le nouveau-né, comme s'il avait compris son erreur, hurlait avec toute la force de ses poumons... »*
*Façon assez particulière de décrire la naissance du mathématicien-peintre, n'est-ce pas ? Mais c'est avec ce cri du peintre que commence le roman de Giacomo San Benedetto...*

Et j'ai lu jusqu'à la fin du chapitre, n'y comprenant à peu près rien.

— C'était très bien, dit Henry.

— Est-ce que je peux aller me coucher maintenant ?

— Il est encore tôt. Tu ne te sens pas bien ?

— Je suis fatigué.

— Vas-y, Thomas, je vais monter dans quelques minutes.

Aussitôt après avoir quitté la pièce, j'ai regretté d'en être sorti. J'aurais voulu entendre ce qu'ils disaient et je ne le pouvais pas. Je supposais qu'ils parlaient de moi. Pouvaient-ils savoir que j'avais le porte-monnaie de ma mère ? Avais-je encore le temps de le remettre à sa place ?

Une fois en haut, j'étais trop affolé pour me laver le visage ou me brosser les dents. J'ai caché le porte-monnaie sous mon matelas, en le poussant aussi loin que je pouvais vers le centre.

— Je vais monter dans quelques minutes, avait dit ma mère.

Mais j'ai attendu pendant une éternité, convaincu qu'ils savaient tout, cherchant désespérément à juger si j'avais le temps de retourner le porte-monnaie. Au moment d'entendre monter ma mère, j'étais prêt à tout avouer ou, ce qui paraissait plus sage, à lui dire : Maman, je pense que ceci est tombé de ton sac. Je l'ai gardé pour toi.

Mais c'est elle qui parla la première.

— J'ai tardé à monter, je m'excuse.

Elle s'assit à côté de moi sur le lit.

— Thomas, dit-elle, Henry et moi avons discuté.

J'étais convaincu qu'ils étaient au courant du porte-monnaie.

— Nous pensons... que tu ne lis peut-être pas ce que tu devrais lire.

— Lire ? dis-je.

— Quant à Henry, tu pourrais bien lire n'importe quoi...

Voilà qui était tout à fait inattendu. Je me suis senti soulagé, perplexe, grisé et, une fois que j'eus compris de quoi elle parlait, plutôt indigné. Qu'est-ce qu'elles avaient, mes lectures ? Est-ce que Henry lui avait finalement parlé des *Bijoux indiscrets* ? Le livre était inhabituel, en effet, et c'est le premier livre qui avait stimulé mon intérêt pour le latin, et... j'avais appris des choses..., et...

Ce n'est pas Diderot qui la dérangeait. C'était Henri Serres.

— Tu es trop jeune pour comprendre ce que tu lis.

— Mais...

— Écoute-moi, s'il te plaît.

Nous n'avions jamais parlé de sexualité. Elle était mal à l'aise. Non pas que la sexualité soit une chose mauvaise, mais non, mais non, mais ça n'était pas simple. J'aurais bientôt des sensations parfaitement normales, mais Henry et elle pensaient qu'il serait utile que j'aie un guide vers ces sensations, et il serait préférable que ce guide ait la même tuyauterie que moi.

— Ma tuyauterie ?

— Oui, mon chéri.

Et voici donc pourquoi Henry allait m'aider au sujet des vérités de la vie. Il l'avait persuadée de l'erreur qu'il y aurait à limiter ma curiosité mais, au moins jusqu'à ce que Henry et moi aient eu une conversation, elle pensait souhaitable que je lise autre chose que des livres pour adultes.

Malgré le soulagement de n'avoir pas été pris, j'étais fâché de leur injustice. Mais enfin, pour autant que j'avais pu le constater, *Les ébats* n'était pas du tout osé. N'avait-elle pas entendu ma lecture ? Ou est-ce que le simple titre avait provoqué ses réflexes parentaux ?

— Mais... dis-je.

— Laisse tomber, Thomas. Nous en parlerons une autre fois.

Et c'était la fin de l'incident. Voyant *Les ébats* sur ma table de nuit, elle prit le livre jusqu'à ce que…

La tâche de Henry n'a pas été facile du tout.

Comment expliquer les mystères de la sexualité humaine à un enfant de onze ans ? J'avais appris la théorie qui sous-tend les relations sexuelles et la conception et, grâce aux magazines que j'avais lus à Petrolia, j'avais une assez bonne idée de la manière de fonctionner du premier processus.

Mais nous n'allions pas avoir une leçon de mécanique. Une fois que les mots « pénis » et « vagin » ont été prononcés et qu'on a rappelé leur complémentarité, le mystère physique est plus ou moins éclairci.

Non, la conférence de Henry allait être au sujet des complications qui viennent de la conjonction.

La chose aurait probablement été plus facile pour lui, et pour moi, si ma mère nous avait permis de traiter la question entre nous. Au contraire, elle insista pour y participer en tant qu'« observatrice intéressée ».

Environ une semaine après le vol de son porte-monnaie, ma mère mit quelques biscuits dans une assiette, remplit un verre de lait et me poussa vers la bibliothèque où Henry attendait, l'air détendu et intéressé.

— Pourquoi ne pas t'asseoir ici ? dit-il, la main sur le dossier d'un fauteuil.

Une fois ma mère assise sur le rebord d'une chaise qu'il avait apportée pour elle, Henry commença :

— Le monde est une entité biologique, Tom, comme tu le sais… n'est-ce pas ?

— Oui, je le sais.

— Bien. Alors tu sais donc que nous ne sommes pas très différents des scarabées et des crapauds ?

— Je suppose…

— Bon. Il n’y a pas grand-chose d’autre à dire, en fait.

— Qu’est-ce que tu veux dire par « pas grand-chose d’autre » ? demanda ma mère.

— Eh bien, la régénération est la clé, pour ainsi dire.

— N’utilise pas des mots aussi vagues.

— Je m’excuse, mon amour. Sais-tu ce qu’est la régénération, Tom ?

— Je suppose…

— Ne suppose pas, Tom. Ce que Henry veut dire, c’est que toutes les créatures se reproduisent, et nous aussi.

— Ça, je le sais, répondis-je.

— Bon. Eh bien, continue, Henry.

— Alors, Tom, la principale différence entre l’animal et l’homme est que même si l’acte de reproduction est physiquement sans complication pour les deux, il est psychologiquement complexe pour les êtres humains…

— Émotionnellement aussi, ajouta ma mère.

— Oui, émotionnellement aussi…

— Et pourquoi est-il émotionnellement complexe ? encouragea ma mère.

— Parce que c’est une question de coutumes, de rituels et de dynamique de groupe…

— Non, dit ma mère.

Henry s’interrompit pour tenter de comprendre où il s’était trompé.

— L’acte demande habituellement plus d’un participant, dit-il.

— Non, répéta ma mère. Il est complexe parce qu’il s’appuie sur la confiance.

— Oui… je vois…, dit Henry en attendant qu’elle poursuive.

Et comme elle ne poursuivait pas :

— C'est une question de confiance, Tom, et la confiance est complexe... Disons que tu es fermier à Hornpayne, là où la terre est pierreuse et c'est difficile de faire pousser quoi que ce soit. Mais ton champ à toi est riche et tu peux y faire pousser ce que tu veux : des cerises, du blé, des citrons...

Encore aujourd'hui, je me souviens parfois de Henry dans cette position : penché vers moi, imperturbable face à la situation, convaincu que tous les mystères qu'on pouvait éclaircir étaient sans intérêt ; ceux qu'on ne pouvait éclaircir, essentiels. Après tout, il n'était pas porté à l'éclaircissement, mais il pourrait m'aider à me mettre en route.

— ... du blé, des citrons, des pamplemousses... n'importe quoi, mais tu as besoin de quelqu'un d'autre... tu comprends ?

— Oui, répondis-je.

— Tu voudrais sûrement quelqu'un avec qui tu pourrais travailler, non ?

— Je suppose.

— Qu'est-ce que ça a à voir avec la passion, Henry ?

— Eh bien, Kata, j'allais justement suggérer qu'à Horsepayne la seule façon de trouver quelqu'un qui aide à l'agriculture, c'est d'offrir à cette femme la moitié de la propriété...

— Pourquoi ? demanda ma mère.

(On aurait pu me tuer, je n'aurais pas trouvé de réponse à cette question.)

— Disons que c'est ça que font les gens à Horsepayne...

— Mais tu pourrais engager quelqu'un, suggéra ma mère.

— Pas dans ce Horsepayne-ci, Kata. Dans ce Horsepayne-ci, il faut choisir ta partenaire avec sagesse. Il ne faut pas donner la moitié de tes terres à n'importe qui. Et souviens-toi qu'à Horsepayne, c'est une condition de la vie que de donner la moitié de ta propriété pour attirer une partenaire et pour faire profiter tes champs...

Ils discutaient gentiment du cheminement que Henry avait choisi. Même si ma mère respectait la finesse du modèle, elle était convaincue que je n'y comprenais rien. De plus, elle trouvait que l'approche de Henry était par trop mercantile, une objection à laquelle il répondit en lui rappelant que le messager des dieux (Hermès) était aussi le dieu des marchands, une information qui la rassura quoiqu'elle m'enfonça encore plus dans la confusion.

Quand Henry revint à sa parabole et poursuivit son discours sur la fertilité et la responsabilité, j'étais bien plus intéressé à la périphérie du message qu'au message lui-même : l'attitude de ma mère, la voix de Henry, ses mains à elle, ses mains à lui, la lumière qui baissait, le goût des biscuits d'avoine, mes doigts mouillés sur le verre de lait que je tenais. Après un long moment, Henry demanda :

— Tu comprends ?

— Oh oui, répondis-je.

Et en se levant de sa chaise, ma mère dit :

— Merci, Henry.

Elle tendit sa main horizontalement vers lui. Sur la tablette derrière lui, Henry prit *Les ébats*. Il lui donna le livre.

— Voici, Thomas, dit-elle.

Si on m'avait demandé une preuve que j'avais compris quelque chose à la leçon de Henry, j'aurais failli lamentablement. J'étais encore plus déconcerté au sujet des mystères de la sexualité, quoique je comprenais maintenant qu'il y avait quelque chose à comprendre. La question était peut-être là.

Ou peut-être que Henry parlait à ma mère autant qu'à moi. Ma mère le comprenait et l'appréciait mieux que moi, en tout cas c'est ce qu'on aurait dit, et elle en était heureuse. Une bien mince raison pour laisser à un enfant de onze ans l'accès à la bibliothèque de Henry, mais l'effet n'a pas été tout à fait mauvais. Le lien entre la sexualité et les livres a fait de moi un lecteur encore plus fervent.

— Merci, maman, répondis-je.

Malgré Horsepayne, ou plutôt malgré la confiance qu'ils ont manifestée à mon endroit, j'ai continué de voler. Pire encore, j'ai développé un goût de plus en plus fort pour l'action de voler.

Peu après avoir pris le pull en angora de ma mère, j'ai même cessé de chercher des excuses. À ce stade, j'avais réussi à prendre tant de choses que j'ai commencé à trouver inutile la préparation de mensonges dont je n'allais pas me servir. Ni l'un ni l'autre n'a jamais manifesté le moindre soupçon à mon endroit.

C'était superbe de se promener dans la maison, à écouter leurs voix, le bruit de leurs pas, les craquements de l'escalier, et superbe de répondre

— Non, je n'ai pas vu ta robe.

— Non, je n'ai pas vu ton épingle.

quand ils me parlaient de ce qui avait disparu.

Peu d'actions m'ont apporté autant de joie. C'était excitant de voir comme il était facile de duper ma mère et Henry. Leur vulnérabilité était excitante et peut-être, finalement, ai-je continué à voler simplement pour le plaisir des moments brefs mais enivrants où je voyais l'un ou l'autre chercher vainement un objet perdu.

Mais je n'étais pas un bon voleur.

S'il leur a fallu des mois pour découvrir le lien entre moi et ce qui disparaissait, c'est qu'au départ je prenais des choses que je n'avais aucune raison de prendre. En cinq mois environ, j'ai pris

> porte-monnaie, chaussure, collier, bague, revue, chaussettes, chaîne dorée, couverture, chemise, sac à main, boutons de manchettes, orchidée, monocle, argent, lime à ongles, planétaire, robe, eau de rose, tambourin, épingle, encre, signet, boucles d'oreille, boulier, gants, pull d'angora, carte d'identité, vernis à ongles, chapeau, pantalon, sous-vêtement, poudre de talc, mouchoir.

Avec mon écriture la plus précise, j'écrivais le nom de chaque objet dans les pages de garde de *L'île au trésor*. À côté de chaque objet, je notais le jour et la date du vol. (J'ai encore le livre. Il est ouvert devant moi à ce moment même. J'avais une propension à voler des choses le mardi et le jeudi.)

Je laissais passer assez de temps entre mes incursions pour que ma mère ou Henry oublient les pertes antérieures. Ma mère demanda où était sa bague, où était son pull, où était sa carte d'identité, mais rien d'autre. Henry ne semblait pas savoir qu'il avait perdu son boulier, son monocle et ses boutons de manchettes.

Cet espacement dans le temps tenait plus à ma timidité qu'à un plan, cependant. Je ne choisissais pas les moments comme un vrai voleur l'aurait fait.

Finalement, mon choix de cachettes était stupide. À plusieurs reprises, quand je retournais m'assurer qu'une chose était en sécurité, je ne la retrouvais pas. Par exemple, j'avais caché le planétaire miniature de Henry derrière une caisse dans le grenier. Peu après l'avoir caché, je suis monté admirer les planètes, mais je n'ai pas pu trouver le planétaire. J'ai déplacé les caisses et j'ai fouillé dedans ; elles étaient toutes pleines de livres, laissant à peine assez d'espace pour mes petites mains.

J'ai paniqué, bien sûr, en pensant que Henry m'avait démasqué.

Et pourtant, la fois suivante où je l'ai vu, peut-être quelques minutes après être descendu en cachette du grenier, Henry n'a donné aucune indication qu'il était au courant de quoi que ce soit. Ma mère l'aurait-elle découvert, alors ? Peut-être m'avait-elle vu grimpant comme un écureuil cacher les planètes dans le grenier ? Aucun signe ne venait d'elle non plus.

J'ai été assez ébranlé pour arrêter de voler pendant un temps, mais ensuite, j'ai pris le monocle de Henry (et je l'ai brisé), les boucles d'oreille en faux rubis de ma mère, le boulier de Henry, les gants de cuir de ma mère, son pull en angora... comme si la disparition du planétaire n'avait été qu'un hasard.

De tout ce que j'ai volé, le planétaire était la seule chose que je convoitais vraiment. Dans ma mémoire, c'est encore un objet exquis : un bloc de verre dans lequel évoluait un modèle du système solaire (sans Pluton). Huit ellipses concentriques bougeaient comme des vaguelettes à partir du soleil, une perle de verre sur chacune. Les planètes étaient des billes de couleur, le soleil était jaune canari et translucide.

Le mécanisme pour faire bouger les planètes fonctionnait avec une petite clé en bronze à oreilles ; c'est la seule pièce du planétaire que j'aie encore.

Je suis presque sûr que c'est Henry qui l'a récupéré du grenier. Il n'aurait manqué à personne d'autre. Mais comme je ne l'ai pas revu depuis 1968, je soupçonne qu'il a été véritablement volé par l'un des hommes qu'il a plus tard engagés pour s'occuper de la maison. Dans ce cas, je suis heureux d'avoir gardé la clé. Elle serait difficile à remplacer, avec sa tige à sept côtés ; et puis l'un des grands plaisirs du planétaire était la musique qu'il faisait quand les billes bougeaient sur leur orbite.

C'est la négligence qui a mis fin à cette période de mon enfance. Tôt ou tard, on m'aurait attrapé, bien sûr, mais mes balades en cachette, le livre où je notais ce que j'avais volé, le nombre même des objets volés... rien de tout ça n'a causé ma perte.

J'avais fini par prendre l'affaire à la légère. Je rentrais dans n'importe quelle pièce ouverte, je prenais n'importe quel objet qui attirait mon attention, ne me préoccupant plus des bruits de pas, des craquements d'escalier, des voix assourdies.

Quand j'en suis venu à voler le chapeau de ma mère, je commençais à me lasser de mon comportement, sans pour autant être capable de m'arrêter. Après une trentaine d'objets, on aurait dit que je pourrais continuer à voler à l'infini, selon la loi des rendements décroissants.

Mais...

Un soir, j'ai décidé de réarranger les vêtements de ma mère sous le matelas de mon lit. J'ai pensé que j'avais réuni assez de vêtements pour construire une version d'elle ; d'abord la robe, ensuite le pull sur la robe, puis les gants à la place de ses mains, le sac à main sur l'un des gants, le collier sur le pull, le chapeau (un béret) au-dessus du collier, et les boucles d'oreilles à la place des oreilles.

Même si le matelas était lourd, il était sur mes épaules et je faisais de mon mieux pour bien repasser tous les vêtements, robe, pull, gants, chapeau sur le sommier. Le jeu était tellement plaisant que j'ai perdu la notion du temps. C'était particulièrement difficile de maintenir le pull sans plis, de bien repasser les manches sur toute leur longueur.

J'étais là avec le matelas sur mon dos quand j'entendis des pas qui montaient les marches. J'ai laissé tombé le matelas, je l'ai poussé avec ma hanche et je me suis lancé sous les couvertures.

— Temps de dormir, Thomas.

C'était ma mère.

— D'accord, dis-je.

Souriante, elle s'assit à côté de moi.

— Et as-tu eu une bonne journée ?

— Assez bonne.

— Raconte-moi, dit-elle.

Rien ne me venait à l'esprit. Mon cœur s'emportait ; mon esprit s'empressait d'inventer des prétextes pour la présence des vêtements sous le matelas.

— Alors, allons-nous rester chez Henry, finalement ?

La même question que je posais depuis des mois.

— Encore pour un moment, répondit-elle.

— Et alors, qu'est-ce que toi, tu as fait aujourd'hui ? lui demandai-je.

Elle regardait vers le plancher. J'attrapai son bras.

— Qu'est-ce que tu as fait ?

— Qu'est-ce que c'est ?

Elle se penchait pour tirer sur la manche de son pull.

— Qu'est-ce que ça fait ici ?

Elle semblait heureuse de l'avoir trouvé.

— Oh, dis-je, j'avais froid.

Elle se leva.

— Je l'ai rien qu'emprunté.

Comme elle tirait sur le pull, la manche de sa robe et la poignée de son sac à main vinrent aussi.

— Lève-toi, Thomas.

— Pourquoi ?

— Sors du lit, s'il te plaît. Qu'est-ce que tout ça ?

Elle n'était pas contente du tout. Elle était perplexe en tirant tout ce qu'il y avait sous mon matelas. Son fils avait caché différentes pièces de sa garde-robe dans sa chambre. Que devait-elle en penser ?

L'étrangeté de mon comportement me surprit soudain. Je n'avais pas eu de raison particulière pour voler des choses. Au meilleur de ma connaissance, j'avais volé sans le vouloir, sans intention. Et pourtant, je me sentais humilié, sensible à quelque chose d'innommable mais qui n'était pas sans familiarité.

Je ne suis pas sûr qu'elle ait pensé qu'il ne s'agissait que d'un vol.

— As-tu pris tout cela ?

— Oui... répondis-je.

— Pourquoi ?

Normalement, j'aurais été trop intimidé pour lui faire face, mais dans un moment d'inspiration, ou de damnation, je l'ai regardée et avec une sincérité dont j'ai rarement été capable, même en disant la vérité, je dis :

— Henry m'a demandé de le faire.

— Henry ? Pourquoi Henry te demanderait-il de prendre mes vêtements ?

Et une fois de plus, avec sincérité :

— Il voulait t'en acheter d'autres... il n'a jamais aimé tes vêtements...

— C'est ridicule...

Et maintenant, au bord des larmes :

— Je m'excuse, maman... je sais bien que je n'aurais pas dû...

Je ne crois pas qu'elle m'ait cru, mais l'idée que Henry ait pu tenter de la manipuler doit l'avoir frappée. De plus, vu les choses qu'elle avait découvertes (chaussures, collier, robe, etc.), mon mensonge devait la soulager. Je veux dire que si on élimine le vol sans raison et la déviance sexuelle, il y a bien peu d'explications qui puissent servir à juger raisonnablement mon comportement.

— Pourquoi est-ce qu'il ne me l'a pas demandé lui-même ?

— Je sais que je n'aurais pas dû... ai-je répété.

Je baissai la tête, contrit.

— Nous en reparlerons demain, dit-elle.

Elle ne s'est pas pressée pour partir, mais elle est sortie de la chambre comme distraite : lumière allumée, porte ouverte. Je suis resté debout un long moment à attendre qu'elle revienne, en me demandant si je devais fermer la porte moi-même.

Quelles étaient donc les chances que mon histoire soit crue ?

Je ne veux pas diminuer ma culpabilité, mais rien au monde n'aurait pu faire que Henry se comporte comme j'avais dit qu'il s'était comporté. « Je pense qu'aucun vêtement ne te vaut, Kata, mais je les prendrais moi-même s'ils avaient à être pris », et c'était la fin de mon mensonge.

Alors quand ma mère m'a convoqué dans le salon du rez-de-chaussée le lendemain soir, je m'attendais au pire.

Étendus ou déposés sur le sofa se trouvaient les objets qu'elle avait trouvés sous mon matelas. Ma mère se tenait près de la cheminée et je me tenais près du sofa jusqu'à ce que Henry entre dans la pièce, quelque temps plus tard, en portant un plateau avec des tasses, du lait, des biscuits et une théière. Il sourit en m'en offrant, mais ça me faisait mal de le regarder en face.

— Veux-tu quelque chose, Kata ?

— Non merci, répondit-elle.

— Alors, demanda Henry, qu'est-ce qu'on fête ?

(Elle ne lui avait rien dit ?)

— J'ai trouvé ces choses cachées dans la chambre de Thomas, dit ma mère.

— Ah oui ?

— Thomas dit que tu lui as demandé de les prendre.

Pause. Puis :

— Je lui ai demandé de les prendre ?

— Oui. Est-ce vrai ?

Debout à côté du sofa, immobile comme une souris, j'ai vécu les moments les plus douloureux de mon enfance. Les derniers moments de mon enfance, en fait.

— C'est ce que Tom t'a dit ?

— Oui.

— Alors je l'admets, dit-il doucement. Oui.

Incrédule, je le regardai. Il me regardait, sans sourire, mais non sans tendresse. J'ai pensé qu'il n'avait pas compris la question.

— Tu as demandé à mon fils de venir en cachette dans ma chambre et de prendre mes vêtements ? Comment as-tu pu faire ça ?

— Je suis navré, répondit-il.

— Pourquoi ne m'as-tu pas dit que tu n'aimais pas mes vêtements ?

Pause. Puis :

— Tom a dit que je détestais tes vêtements ?

— Bien sûr.

— Je suis navré, Kata.

Ma mère, debout, resta immobile et silencieuse pour un moment avant de dire :

— Thomas, ce que tu as fait est mal. Laisse-nous, s'il te plaît.

C'était ma dernière chance de dire que j'avais menti. Henry était debout de l'autre côté de la cheminée, les mains derrière le dos, élégant, serein.

Je souffrais de ne rien dire, mais s'il fallait souffrir, je voulais qu'ils souffrent, maintenant. Je sortis lentement de la pièce et, lentement, gravis les marches de l'escalier, en essayant d'entendre les détails de leur contretemps, mais il n'y avait que silence.

Après coup, je ne peux imaginer une plus malheureuse convergence d'éléments.

Ma mère, même s'il était évident qu'elle aimait Henry, ne pouvait supporter qu'on se joue d'elle. Elle ne m'avait peut-être pas cru quand j'avais laissé entendre que Henry essayait de se jouer d'elle, mais sa confession aurait suffi à créer chez elle un doute là où le doute était impensable.

Et puis : moi à douze ans.

Et finalement : Henry.

Je ne sais toujours pas quoi penser de Henry. Il était ridicule ou admirable, c'est selon. Il m'est arrivé de penser qu'il avait agi par estime pour moi, qu'il voulait m'éviter l'humiliation. C'est tout à fait Henry.

Il a peut-être pensé, d'autre part, qu'il ne pouvait me confondre sans blesser ma mère. Ç'aurait été pénible pour Kata d'avoir un fils de douze ans voleur et menteur. Il aurait pu vouloir lui épargner cela, alors il est tombé dans le panneau. Ça aussi, c'est tout à fait Henry.

Quoi qu'il en soit, Henry ridicule ou Henry admirable, il ne m'en a jamais voulu pour cet incident et n'a jamais compté sa tendresse. En cela, il a pu être inconsciemment cruel, car j'ai mis des années à me pardonner moi-même.

Car enfin, ce n'est que maintenant que je vois le vrai sens de mon comportement et je regrette que, même si ça ne marquait pas la fin de la vie commune de Henry et Kata, c'en était la première mauvaise herbe.

# XII

OU SIMPLE, ou complexe, ces derniers mois, ma vie semble être devenue à la fois simple et complexe. En apparence, elle est simple :

7 heures : s'éveiller, se laver, manger ;
9 heures : écrire, petit arrêt pour Alexandre ;
11 heures : la même chose (écrire, écrire) ;
13 heures : rédiger ma correspondance destinée au *Citizen* ;
15 heures : me promener, marcher, penser à toi ;
17 heures : si je suis allé à la bibliothèque, rentrer à la maison la tête pleine de mots ;
19 heures : comme d'habitude (lire, se laver) et devrais-je téléphoner à nouveau ;
21 heures : nourrir Alexandre. Nourriture, pour moi, si possible ;
23 heures à 7 heures : dormir.

Elle est complexe en ce que mon écriture m'approche un peu des morts mais pas des vivants. Elle me rapproche de moi-même, parfois, mais je ne suis pas souvent un de mes lieux favoris...

Ma mère est morte depuis un an, Henry il y a un peu moins longtemps. Cet accès de mémoire est à peu près terminé, je pense.

J'avais brisé l'échine de ma propre enfance.

À douze ans, je me suis éloigné du monde refermé de Henry et de Katarina.

Leur relation a survécu à mes vols et à mes mensonges. Elle s'est poursuivie pendant des mois mais mes sentiments à leur endroit sont morts. Je croyais avoir identifié leurs faiblesses et, impitoyable comme on l'est à douze ans, j'ai commencé à croire qu'ils ne méritaient pas de respect.

C'est peut-être une attitude d'autodéfense qui m'a éloigné d'eux, d'une famille quelconque qui pourrait se construire autour d'eux. C'est peut-être aussi une punition que je m'imposais, ou un sentiment d'impénitence, un durcissement du cœur, mais quoi qu'il en soit, je n'étais plus intéressé.

Ça n'était pas comme si je m'étais tout à coup libéré, comprends-moi, ou même que je comprenais, à douze ans, ce que pouvait être la liberté. Pas du tout. Il fallait encore que j'appartienne à quelque part, mais j'avais découvert un « ailleurs » plus accueillant que le « là » de chez eux.

### Ottawa, la ville elle-même

Ni ma mère ni Henry n'étaient à leur place à Ottawa.

Ma mère a vécu environ vingt ans dans la ville, sans jamais s'y sentir chez elle. Elle déménageait d'un endroit à l'autre, cherchant un lieu qui ne serait pas temporaire. Mais même si elle a acheté une maison au coin de Osgoode et Henderson, elle a fini par déménager à Petrolia, imagine donc, en 1990.

J'ai déjà décrit la vie de Henry et sa maison. Même s'il était chez lui, on n'aurait pas pu dire qu'il était à la maison à Ottawa, pas exactement. Son foyer était ailleurs dans le temps, là où Lampman et Scott auraient très bien pu prendre le thé. Ma mère et Henry n'étaient que des fantômes dans la ville que j'ai découverte. Pour moi, Ottawa était grande et animée, plusieurs nuances de frênes, verts, bleus et bruns. Une fois adapté à ses dimensions, je l'ai trouvée tellement éclatante que je m'étonne qu'elle ait jamais pu ne rien signifier pour moi. Depuis, elle veut tout dire : mon océan, mon désert, ma plaine.

Je me suis jeté dans les bras de la ville et même si les villes ne sont pas faites pour tenir compagnie, Ottawa était le refuge dont j'avais besoin. Et puis je sortais rarement seul. Mes compagnons, ceux dont je me souviens, étaient François Gagné et Lucie Lefebvre, qui allaient à l'école Garneau même s'ils vivaient près de la maison, et Andrew Haller, qui vivait au coin de Cooper et Metcalfe et allait à l'école publique Elgin.

Comme tu t'en doutes, je n'avais guère de talent pour le bonheur, et pas beaucoup pour l'amitié non plus mais Lucie et François étaient différents d'une manière qui me désarmait et Andrew partageait avec moi un intérêt pour les scarabées. J'ai un souvenir agréable de nos moments ensemble, même si je ne pourrais pas te dire ce que nous faisions.

J'étais avec Lucie et François quand j'ai connu Ottawa-Ottawa, avant qu'elle ne devienne Ottawa-Thomas.

Des mois après que Henry soit tombé dans le panneau, Lucie et moi marchions le long du Canal, en route vers la rue Rideau.

Le jour était tiède. L'eau dans le canal était bleu ciel. Nous marchions ensemble, parlant de je ne sais quoi, quand j'ai tout à coup remarqué que nous étions entourés de gens, tous en train de marcher le long de la promenade. Et j'étais heureux que nous soyons si nombreux. Nous sommes allés jusqu'à la rivière et puis, après avoir monté les escaliers, nous avons continué par la rue Rideau jusqu'au marché.

Au marché, il y avait tellement de monde qu'on se sentait sur une vague. Ça embaumait le poisson, le fromage, les pommes et les concombres, les tomates et les poivrons verts et, près des cages, la merde de poule.

C'est ce jour-là que j'ai vu un homme sortir un poulet de son cageot de bois et lui tordre le cou en un seul geste élégant ; l'oiseau par le cou, un mouvement du poignet. J'étais triste pour le poulet, mais il a été tué de façon tellement artistique qu'il y avait une nécessité dans son sacrifice.

C'est ce jour-là aussi que j'ai vu un berger allemand bondir sur un rat qui s'échappait de l'arrière d'un magasin. Le chien brassait sa tête violemment d'un côté et de l'autre avec le rat dans la gueule. J'ai saisi un bâton et j'ai fait fuir le chien, mais quand je suis revenu voir si le rat était encore vivant, la pauvre bête m'a mordu et est allée se cacher sous une palette de bois.

J'étais tellement préoccupé par le rat que je n'ai pas remarqué que ma main saignait jusqu'à ce que Lucie commence à pleurer. Et pendant des semaines j'ai été obsédé par la peur de la rage. Je n'ai rien dit à Henry ou à ma mère. À la place, pensant que l'un des premiers signes était l'hydrophobie, je ne buvais plus d'eau, choisissant plutôt le lait et le jus de pomme. Je sais que c'est étonnant que des moments comme ceux-là aient pu m'attacher à la ville, mais le jour en était un d'aventure et la ville reste vive, bleue, verte et grise dans ma mémoire.

La deuxième rencontre a été encore plus banale.

François et moi avons marché loin de la maison, un jour d'été. Loin, en tout cas, pour nous ; le long d'Elgin jusqu'à Laurier, sur le pont de la rue Laurier, au-delà de l'université qui s'étendait sur plusieurs pâtés de maisons avec ses immeubles mystérieux et accueillants, et jusqu'au parc Strathcona.

Nous discutions de qui était le meilleur, du Concombre Masqué ou de Iznogoud, de Tintin ou de Johnny Quest.

Aucun de ceux-là ne m'intéressait vraiment, en fait, puisque je préférais Spider-Man, que François n'avait jamais lu. J'avais d'ailleurs avec moi un exemplaire de Spider-Man, roulé serré dans ma main dont la sueur faisait couler l'encre de la couverture.

Je savais que François ne connaissait pas assez bien l'anglais pour lire la bande dessinée et mon intention était de la lui lire. Je m'objectais au fait qu'il ne connaisse pas J. Jonah Jameson ou Peter Parker. Il y avait problème aussi avec son ignorance de Tony Stark et de Reed Richards, mais une chose à la fois.

François et moi nous promenions dans le parc, allant d'un bout à l'autre, attirés par les bruits d'une partie de baseball, suivant discrètement deux adolescents, un garçon et une fille se tenant par la main qui s'arrêtaient tous les cent mètres pour s'embrasser.

Nous avons dû passer des heures à perdre notre temps, à regarder la rivière, tant et si bien que quand nous nous sommes assis près des rapides, c'était déjà la fin de l'après-midi.

J'ai déroulé Spider-Man et l'ai pressé sur mes genoux. Puis, en ne m'arrêtant que pour admirer les dessins, j'ai traduit chacune des bulles de dialogue.

François était fasciné.

— C'est qui, Doctor Octopus ?

— C'est un méchant...

— Oh ! R'garde donc ses bras d'pieuvre !

J'ai eu le temps de lire l'histoire deux fois avant que le soleil ne se couche, que les lumières de la ville ne s'allument et qu'il faille rentrer.

— J't'en supplie, Thomas, prête-le moi, me demanda-t-il en rentrant à la maison.

— Mais tu ne lis pas l'anglais...

— J't'en supplie...

Et je lui ai donné la bande dessinée, sachant très bien que je ne la reverrais jamais, pas cet exemplaire-là. La lumière qui diminuait, le profil du Parlement vu du pont et la douce lumière des lampadaires, ce sont des choses qui faisaient surgir une certaine tendresse en moi.

— D'accord, lui dis-je, garde-le.

Ces deux excursions, avec Lucie au marché et avec François au parc Strathcona, ont été comme mes premières sorties dans le monde après une période dans l'obscurité. Je veux dire que j'étais conscient de n'être pas moi-même dans un endroit dont je faisais partie. Je veux dire que brièvement, heureusement, j'étais naturel, et c'est ainsi que je trouvais mon foyer.

Tout cela, tout ce virage vers Ottawa, est difficile à décrire puisque je n'aurais pas plus pu me tourner vers la ville, ou dire que je me tournais vers la ville que j'aurais pu déclarer m'éloigner de la maison de Henry. Et pourtant, je me tournais vers la ville.

Comment dire ? On ne dit pas que l'héliotrope connaît la lumière, mais il se tourne vers la lumière, c'est ce qui m'arrivait.

Est-ce qu'Ottawa était ma lumière ?

Oui et non.

C'était d'abord une région sauvage, puis c'était ma région sauvage, puis ça n'était plus sauvage du tout. J'ai fini par la connaître intimement, progressivement, en vagues successives à partir du coin de Cooper et d'Elgin.

L'acte de découvrir a été ma lumière. Même si c'est Ottawa qui était d'abord illuminée, c'est à travers Ottawa, ou avec Ottawa, ou dans Ottawa que j'ai trouvé mes points de repère en dehors de ma mère et de Henry, sans eux.

Tu vois ce que je veux dire ?

Dix années ont passé, pendant lesquelles le monde extérieur m'a intéressé plus qu'une mère, un père, une maison, un foyer. J'ai fait un effort spécial pour m'éloigner de mon enfance.

Sans grand succès.

Les années chez Henry

Je me suis souvent demandé pourquoi les sentiments de Henry à l'endroit de ma mère n'ont pas suffi à les garder ensemble.

C'était risqué de sa part de prétendre qu'il m'avait forcé à voler, mais il est improbable qu'une relation solide ait pu être remise en question par un incident aussi mineur. Même s'il m'avait convaincu de voler ses vêtements, ma mère aurait dû lui pardonner si elle en avait vraiment été amoureuse et j'ai des raisons de croire qu'elle aimait Henry.

(Je tiens pour acquis, comme toujours, que de vivre ensemble est un complément à l'amour, une expression d'affection. N'ayant jamais eu de vrai foyer pendant la plus grande partie de mon enfance, je suis parfois déçu du foyer que je n'ai plus eu quand Henry et ma mère se sont séparés. Je me reproche un échec qui n'a peut-être pas été un échec. Après tout, il n'y a que moi qui avais besoin qu'ils vivent ensemble. Leurs rapports se sont maintenus, à leur façon, jusqu'à la fin de leur vie, et pourtant...)

Leur séparation, si c'est comme ça que ça s'appelle, n'a pas été pénible.

Un jour, ma mère et moi sommes allés visiter un appartement. Nous étions déjà allés assez souvent visiter des appartements pour que la chose ait peu d'importance à mes yeux. Je m'ennuyais.

L'immeuble, près de Cooper et Bank, n'était pas loin de chez Henry. Vieux et gris, il n'avait de spécial que les balcons de fer forgé, tellement rouillés qu'on avait l'impression qu'ils allaient se fracasser sur le sol d'un moment à l'autre.

À l'intérieur, c'était un peu mieux, mais pas beaucoup; des murs jaunes, des plafonds élevés, deux grandes chambres à coucher, de grandes fenêtres. Une odeur aigre, cependant, et la cuisine était petite. Nous nous sommes promenés dans les pièces vides pendant un moment et je supposais qu'elle allait, comme d'habitude, dire:

— Merci, non, je ne pense pas...

Au contraire, elle s'est tournée vers le propriétaire, un homme dont je ne garde que le souvenir de sa lotion pour cheveux:

— Deux cents, c'est cher, dit-elle. Je vous en donne cent cinquante.

Et c'était réglé.

— Et Henry ? demandai-je.

— Il a sa propre maison.

Et Henry n'a pas été surpris qu'elle lui annonce que nous allions déménager.

— Est-ce que c'est assez grand pour vous deux ? demanda-t-il.

Quand le moment est venu, il nous a aidés à déménager. Tous les trois, nous transportions des boîtes de carton le long de la rue Cooper. Nous avions peu de chose à porter, ma mère et moi. En deux ans, j'avais acquis quelques vêtements et quelques douzaines de livres. Ma mère avait un peu plus de choses que moi, mais pas beaucoup.

En fait, la seule injustice apparaissait dans les chambres à coucher. Ma mère s'était acheté un lit et il n'y en avait pas pour moi.

Henry suggéra de m'acheter un lit, ou de m'offrir celui dans lequel j'avais dormi, mais plutôt que de prendre son argent, ma mère eut l'idée, c'était *son* idée, qu'en attendant qu'elle ait assez d'argent pour m'acheter un lit, je resterais chez Henry. Car enfin, notre nouvelle maison était tellement près de chez Henry, ça n'était pas vraiment vivre séparés. Et ce n'était que temporaire, bien sûr.

— Si c'est ce que tu souhaites... dit Henry.

Ils se tournèrent alors vers moi, s'attendant peut-être à des protestations.

— Ça ne me fait rien, dis-je.

Non pas que je n'aurais pas préféré vivre avec ma mère. J'avais des sentiments confus envers Henry, principalement de culpabilité, mais je n'allais sûrement pas manifester mes sentiments à l'un ou à l'autre.

(Je ne suis jamais arrivé à rendre une seule des choses que j'avais volées et, avec le temps, j'ai perdu la plupart d'entre elles.)

— Alors c'est réglé, dit ma mère.

La question de mon logement était en effet réglée ; et même si je n'en étais pas heureux, ce nouvel arrangement a été pour le mieux.

D'abord, même si elle a attendu quatre mois avant de m'acheter un lit, quand elle l'a fait, j'étais tellement à l'aise chez Henry que j'ai continué à dormir chez lui presque aussi souvent que chez elle. Pendant ces premiers mois, je la voyais presque chaque jour. Elle passait le début de la soirée avec nous, et quand elle partait pour la nuit, Henry me laissait le choix. Cette liberté compensait généreusement l'absence de ma mère.

Et c'est pendant ces mois que mes liens avec Henry se sont raccommodés.

Les années avec Henry, de 1969 à 1978, sont encore plus fragmentées que les deux premières. J'ai de la difficulté à me rappeler des moments précis, leur séquence ou les émotions qui en ressortaient.

Les premiers jours, je vivais dans la terreur d'une confrontation, convaincu que Henry me condamnerait pour les mensonges que j'avais dits ; mais pas un mot, pas un signe. C'est comme si tout cela était arrivé à quelqu'un d'autre qu'à Henry ou si c'était le fait de quelqu'un d'autre que moi.

Au contraire, c'est le moment que choisit Henry pour me parler de sa propre enfance : la mort de ses parents, ses journées de solitude, la pluie sous un ciel bleu, la peau verte d'une noix de coco, et puis l'océan, l'océan, l'océan... Il est devenu moins menaçant, moins adulte. Nous sommes aussi retournés ensemble au laboratoire, pour la première fois depuis la catastrophe de l'or. Là aussi, il me traitait comme son égal et même si notre travail était moins passionnant qu'au moment de l'or, c'était plus encourageant à longue échéance.

Je savais toujours par cœur la table périodique et j'étais toujours aussi fasciné par les éléments, c'est donc avec facilité qu'il m'enseignait certaines équations de base, dont la première était :

$$2H_2 + O_2 \rightarrow 2H_2O$$

(chaque partie de l'équation avec son complément d'atomes, rien ne se perd).

Pendant des années, quand nous ne parlions pas d'enfance ou ne jouions pas au jeu de chimie, nous parlions de la vie, de la naissance à la mort, grâce aux livres.

— Tu devrais lire *Gradiva*, me suggéra-t-il un jour où nous parlions de rêves.

Et nous sommes partis chercher le livre de Jensen.

La recherche d'un livre était toujours aussi intéressante que le livre lui-même. Nous passions des heures à fouiller, à tirer des livres intéressants des tablettes en poursuivant notre route dans la bibliothèque. Pour chaque *Gradiva*, il y avait un Hérodote, un Marco Polo, une *Histoire naturelle* de Selborne.

Le talent de Henry, c'était de me guider vers des sujets qui pourraient être d'un intérêt définitif. J'avais déjà l'habitude de lire tout ce qui semblait devoir me donner le moindre plaisir, mais avec le temps, il m'a délicatement dirigé vers des domaines que j'avais ratés au passage.

À ce jour, il y a des livres que je ne peux voir sans penser à Henry :

*Flatland* (j'avais 12 ans)
*Gradiva* (14)
*Les courbes de la vie* (16)
*Les frères Karamazov* (18)
*Le parti pris des choses* (18)
*Figure in the Carpet* (20)

Et une fois que j'avais lu le livre, on s'asseyait pour discuter de tel ou tel personnage, de telle ou telle idée, de Fibonacci ou d'une vie en dix dimensions.

Dans nos discussions, j'étais toujours le plus négatif, mais Henry traitait mes opinions avec respect, s'insurgeant uniquement la fois où j'ai traité Smerdyakov de « bon, mais peu judicieux ».

— N'as-tu aucune sympathie pour les chiens ? demanda-t-il doucement.

Les seules vraies discussions sont venues au sujet de la science et non de la littérature. Je n'arrivais pas à respecter les erreurs des grands hommes. La biologie selon Aristote me paraissait ridicule et je pouvais voir, bien sûr, la raison pour laquelle Lamark maintenait un herbier de fleurs mais je sentais, ou j'avais appris à sentir un certain mépris pour les *caractéristiques acquises*, et quant à Hegel, eh bien... ce qui n'était pas impénétrable ne valait rien et moi, à vingt ans, je n'aurais pas donné sa *Philosophie de la nature* à manger à des cochons.

Je retire tout ça maintenant, bien sûr, quoique dans le cas de Hegel... j'aurais encore tendance à épargner les cochons.

Je ne suis pas sûr que la lecture m'ait aidé à vivre. Je ne sais pas si elle m'a préparé à la mort, non plus, quoique Henry déclarait souvent que c'était là la vraie raison pour la connaissance. Je sais qu'à 20 ans, j'ai commencé à m'en fatiguer, ou j'ai commencé à me fatiguer des lectures suggérées par Henry.

Une fois que j'eus choisi un métier scientifique, que j'eus commencé ma maîtrise en sciences, j'ai évité les livres de Henry qui n'avaient pas à voir avec mon champ d'action ; pas de fiction, pas de poésie, et sûrement pas de philosophie. Je ne lisais plus que des livres pratiques et édifiants.

Édifiants, en théorie, je veux dire. Je ne crois pas qu'un manuel de biologie moléculaire puisse être plus édifiant que la *Correspondance* d'Isaac Newton (un livre favori de Henry), mais je m'en suis convaincu. Et j'ai ainsi barricadé une porte entre nous. Malgré tout, pendant un bon nombre d'années avant que je quitte la maison de Henry, la lecture faisait partie de notre intimité.

De temps à autre, surtout quand il ne l'avait pas vue depuis un moment, Henry demandait des nouvelles de ma mère.

C'était aussi douloureux pour moi que ça devait l'être pour lui, car ma mère, peu après avoir emménagé dans son propre appartement, a commencé à voir d'autres hommes. Je n'aimais jamais ces hommes et je le disais.

— Certes, disait Henry, mais Monsieur Untel ou Untel doit bien avoir des qualités.

Comme il connaissait mal les faiblesses de ma mère ; comme il refusait de les voir ! Par exemple le fait que quelques-uns des amants de ma mère étaient vraiment abusifs. Quelque chose ne marchait pas quelque part.

Comme je ne savais pas aimer ma mère comme Henry l'aimait, son refus de reconnaître ses défauts me semblait insensé.

Bien sûr, en vieillissant, j'ai commencé à me poser des questions sur l'Amour, sur l'amour que Henry portait à ma mère, sur l'amour de ma mère pour des hommes mal fichus, leur manque d'amour, mon manque d'amour... Qu'est-ce que tout cela voulait dire ?

Bien sûr, quand j'ai fait mes premiers pas en amour, j'ai mieux toléré l'aveuglement de Henry. Non pas que je comprenais sa passion pour ma mère, pas tout à fait, mais je la trouvais moins obscure.

Je la trouvais moins obscure quand j'avais seize ans, quand mes hormones ont commencé leur truc, mais ça n'est qu'à dix-huit ans que j'ai succombé à des sensations aussi intenses, en principe, que celles de Henry. (Disons que je suis tombé vers l'amour. Car je ne suis pas sûr d'avoir vraiment aimé à dix-huit ans.)

Et l'expérience a été déconcertante.

D'abord, la gêne. Mes vêtements sont serrés; mes vêtements sont amples. Est-ce que mes dents sont assez droites ? Est-ce que mes pieds suent ? Pourquoi est-ce que je n'ai pas des cheveux plus touffus ? Ce que j'aurais donné pour être bavard, pour être fort et silencieux. Je déteste ma bouche. Je serais bien mieux avec des yeux verts, bien mieux avec des épaules carrées. Comme si la Nature était une boutique où j'avais fait tous les mauvais achats : poitrine étroite, menton faible, petites mains, des oreilles comme des palmiers, poilu aux mauvais endroits, sans poil aux mauvais endroits.

Et puis, comme si tout cela ne suffisait pas, l'esprit part irrémédiablement en chamade. Quoi que tu sentes, que tu goûtes, que tu voies, tout te rappelle Lucinda (Lucinda Papadoleus). L'haleine d'un chien, justement par son aigreur, est un appel à l'amour. Les olives noires ont un goût sucré. La lune est pleine et blanche quand elle est pleine et elle est pleine et blanche quand elle ne l'est pas. Et même si je voyais mon corps avec tous ses défauts, je ne voyais le sien que dans sa splendeur : la fine courbe de sa nuque, l'élégante courbe de ses doigts, la délicate courbe de ses seins, la courbe exquise de ses fesses.

Ce que je sentais était sans importance, ni où je le sentais ; d'un bout à l'autre l'affaire était superbe.

Et finalement, au milieu de cette confusion, le dessous de ma ceinture est apparu. On aurait dit que je courais après une fournaise, et ça, c'était *avant* même que nous soyons nus tous les deux, Lucinda et moi. Vraiment, je ne sais pas comment j'ai jamais réussi à obtenir une érection, ou un coït, ou une éjaculation. En fait, je pense que je suis le plus souvent arrivé à un ou deux des trois plutôt qu'aux trois dans le bon ordre.

On finit par apprendre à relaxer, bien sûr, et j'ai été chanceux avec ma partenaire. Lucinda était compréhensive et sympathique, mais la variété même des fausses routes que nous avons croisées est étonnante pour un divertissement si simple et, en théorie, tellement instinctif.

Alors, j'avais dix-huit ans et, incompréhensiblement, mon affection avait sa réciproque chez Lucinda Papadoleus, elle-même âgée de dix-huit ans et originaire de Winnipeg, une ville que j'admire depuis. Et j'ai commencé à saisir l'allégorie de Henry au sujet de Horsepayne. Il y avait toutes sortes de complications dans cette première relation sexuelle et ce sont ces complications qui m'ont amené à parler avec Henry au sujet de l'Amour.

Je pensais qu'entre tous il aurait été un guide bien disposé dans des régions qu'il avait obsessivement explorées pendant des années. Au contraire, quand j'ai soulevé la question de mes sentiments envers Lucinda, Henry a soupiré et dit

— Ça passera, Tom.

les mots les plus décevants qu'il m'ait jamais adressés.

Il n'avait pas tort. Lucinda et moi avons passé cinq mois ensemble et j'ai passé les six mois qui ont suivi seul, en convalescence. Ça a passé, bien sûr, mais j'ai si peu admis l'absence de sympathie de Henry que je ne lui ai plus jamais parlé de ma vie personnelle ; pas un mot sur le désir, sur l'amour, sur l'amitié.

Je me suis demandé, avec une certaine cruauté, ce qu'il aurait dit si, quand il me parlait de ma mère, j'avais soupiré et je lui avais dit :

— Ça va passer, Henry.

C'est-à-dire que j'imaginais que mes sentiments envers Lucinda étaient comparables à ceux qu'il éprouvait envers ma mère. Je ne comprenais pas, dans le temps, que d'être jeune et amoureux était un privilège. « Ça va passer » n'était pas un rejet de mes sentiments, mais une expression de compassion. Le premier amour meurt avant même qu'on réalise à quel point il est merveilleux. Ça n'était pas

— Ça va *passer*, Tom.

mais plutôt

— (*malheureusement)* Ça *va* passer, Tom (*mais avec de la chance tu vas connaître d'autres amours plus profondes que celui-ci*).

Si j'avais compris ses paroles de cette façon à ce moment-là, je me serais peut-être consolé, mais comment pouvais-je comprendre ? Avec l'arrogance de mes dix-huit ans, je me croyais chanceux et privilégié et fort, et j'avais raison, si « avoir raison » est ce qu'on appelle la confusion totale de mes forces et de mes faiblesses.

Il y avait là une sorte d'erreur d'identité. Ne sachant pas pourquoi j'étais chanceux ou pourquoi j'étais fort, n'étant pas qui je croyais être, comment aurais-je pu espérer distinguer le bonheur du malheur ?

Ça n'est que maintenant, par exemple, que j'ai commencé à comprendre la singulière dignité de la passion de Henry. Être désespérément amoureux d'une femme qui ne vous a même pas rejeté, attendre patiemment son retour, attendre sans désespérer, en s'occupant des petits détails de la vie quotidienne, en s'entourant de livres, en faisant des expériences sans fin, en maintenant le vide à l'intérieur de soi-même, comme on balaie une chambre d'ami, dans l'espoir que... avec la conviction que...

J'aurais pu moi-même faire cela, pour un temps, durant ma vingtaine ou même durant ma trentaine, si j'avais connu l'amour de ma vie. Mais attendre pendant des dizaines d'années ? Durant la quarantaine et la cinquantaine et la soixantaine ? Pendant des années, j'ai cru que Henry était un peu méprisable, mais à mesure que le temps passait, à mesure que le temps passe, son attente se déplace lentement, dans mon imagination, du méprisable vers quelque chose d'autre.

Je suppose, bien sûr, que je connais mieux Henry maintenant, que je comprends, maintenant que j'ai quarante ans, un homme que je ne pouvais comprendre à dix-huit ans, mais c'est peut-être trop supposer. Est-ce possible que Henry Wing soit à la fois l'homme ridicule que je pensais *et* celui qui vivait dans la dignité de l'amour ? L'un et l'autre ? Ni l'un ni l'autre ?

Est-ce qu'il ne serait pas plus honnête de dire, maintenant : je ne l'ai jamais vraiment connu, je ne le comprends pas, et je suis profondément ému par le souvenir de sa mort ?

Comme je l'ai déjà dit, je passais des heures et des heures en compagnie de Henry ; je dormais souvent dans ma chambre dans sa maison (notre maison), même après que ma mère eut déménagé, et j'avais un autre foyer ailleurs. Et pourtant, des dix années qui ont précédé le moment de mon déménagement dans un appartement à moi, je me souviens de si peu.

De *quoi* est-ce que je me souviens ?

Je me souviens de Henry qui me demande s'il y a une musique qui me plaît en particulier et je réponds oui, il y a

*Revolver* — un disque que j'avais entendu, ou dont j'avais entendu parler, à l'époque où la musique anglaise était inévitable. J'en avais entendu parler, mais la musique de mon temps n'avait pas grand sens pour moi.

Quelques jours plus tard, Henry avait acheté *Revolver* et nous nous sommes assis pour écouter religieusement les deux faces du disque.

À la fin, il dit :

— C'est intéressant, Tom, mais on dirait des hululements.

J'étais trop gêné pour admettre que oui, en effet, ça ressemblait à des hululements et que j'aurais préféré quelque chose de plus ancien, comme du Bach, par exemple, ou bien du Palestrina.

Je me souviens de l'avoir surpris en train de repriser les vestes de ses costumes avec du fil et une aiguille.

Il n'y a rien de mémorable, bien sûr, dans le reprisage, mais il faisait cela avec une telle précision. Les vestes étaient placées sur le dos des chaises dans la salle à manger. Henry était en bras de chemise. Il soulevait la manche d'une veste et il l'inspectait. Puis, après avoir coupé les fils d'un reprisage antérieur, il reprisait méticuleusement un coude.

Sa tête était si proche du tissu que je craignais pour ses yeux à chaque passage de l'aiguille, mais il chantonnait doucement en reprisant.

Quand il avait terminé, il passait à la veste suivante, puis à la suivante, vérifiant les anciennes reprises, tirant sur les boutons, et ainsi de suite autour de la table, d'une veste à l'autre, d'une chaise à l'autre, dans un cercle.

Je me souviens des noms de certains des « serviteurs » que Henry a engagés au cours des années : Peter, Richard, David, Sylvain... Patrick, Arthur, Robert, Drew, Edward, Samuel.

Je me souviens de l'avoir aidé pour son encyclopédie, d'avoir écouté son enthousiasme au sujet d'une nouvelle découverte : l'occasionalisme, l'onéirographie, l'*interminatum* de Nicolas de Cusa...

Et je me souviens des instants qui ont précédé mon départ.

C'était pendant l'été 1978. J'avais finalement décidé de vivre par moi-même, séparé de Henry et séparé de ma mère.

Ça n'était pas un départ définitif, comprends-moi. J'ai laissé la plupart de mes choses à leur place, n'emportant de la maison de Henry que des livres, des vêtements, et Alexandre, mon premier perroquet ; des vêtements et un lit de chez ma mère.

J'avais mes livres dans une douzaine de boîtes de carton. Mes vêtements étaient dans deux vieilles valises. Le serviteur de Henry, je pense que c'était Sylvain, m'a aidé à descendre les boîtes les plus lourdes de ma chambre au premier, pendant que Henry lui-même descendait une valise et Alexandre dans sa cage.

Il faisait un temps splendide, il me semble. Dehors, il y avait une odeur de goudron et, à l'intérieur, une odeur de soupe au chou, la seule chose à peu près mangeable que Sylvain savait apprêter. Le soleil était si fort, c'était douloureux de s'asseoir dans la familiale que j'avais empruntée et je craignais qu'Alexandre ne rôtisse, même si nous n'allions pas très loin, rien qu'à un sous-sol au coin de Lyon et Gilmour.

— Du perroquet grillé, dit Sylvain. Miam miam.

Une fois les boîtes rangées et la ceinture de sécurité attachée autour de la cage d'Alexandre, je suis rentré dans la maison pour dire au revoir.

Comme j'arrivais du dehors, je ne voyais pas clairement dans la pénombre. Henry était dans le hall et attendait, mais quelque chose se préparait. Il semblait mal à l'aise.

— Tu n'as rien oublié dont tu aurais besoin ? demanda-t-il.

— Non, répondis-je.

— Es-tu bien sûr ?

— Oui, j'en suis sûr…

Henry paraissait étonnamment mince dans son costume gris ; la tête penchée, à frotter ses lunettes sur la manche de sa veste. Il paraissait vieux, ne ressemblait pas du tout à Henry. C'était comme si en passant du soleil à l'ombre, j'avais traversé des décennies.

— À bientôt, Henry, dis-je.

Il ajusta ses lunettes et nous nous sommes serré la main.

— Je suis navré de *ne pas* avoir été ton père, Tom.

Qu'est-ce que cela avait à voir, je n'en avais aucune idée.

— Oh, tu sais, je n'en ai pas besoin, répondis-je.

Et, une fois de plus :

— À bientôt.

Sa main était sèche comme du papier, ou peut-être que la mienne était moite. De toute façon, il a souri et il était redevenu Henry quand je suis parti.

L'idée d'un « Père » avait déjà commencé à se dissoudre quand je serrais la main de Henry pour prendre congé. Elle était déjà presque totalement disparue, quoique je suppose que je continue d'avoir une sorte de curiosité intellectuelle. Il y a des questions biologiques, historiques et peut-être même sociologiques qui sont sans réponse, mais aucune question émotionnelle, pas vraiment.

— Je n'ai pas été ton père, dit Henry.

Et je me souviens de la manière qu'il l'a dit : doucement, avec l'accent sur « pas », sa main dans la mienne.

M'aurait-il menti ? Il m'avait menti au sujet de la transmutation des éléments, mais là, il avait de bonnes raisons, ou, en tout cas, des raisons. Il voulait me montrer que si on faisait si facilement de l'or, l'or ne vaudrait plus rien ; que l'idée de l'or est infiniment plus précieuse que l'or lui-même.

C'est bien ce qu'il penserait, connaisseur des idées comme il l'était...

Je ne vois aucune raison pour laquelle il m'aurait menti au sujet de son rôle dans ma naissance.

## Les années avec ma mère

Tu pourrais croire, si tu es rendue ici dans ta lecture, que notre relation (c'est-à-dire la mienne avec ma mère) se serait détériorée pendant ces dix années-là, de la fin accidentelle de mon enfance (1969) jusqu'au trépas officiel de cette enfance (1978). En fait, pendant une très longue période, mes sentiments à son égard ont été faussés et le plus souvent ambivalents ; d'une ambivalence heureuse ou d'une ambivalence douloureuse ; ambivalente mais optimiste, ambivalente et apeurée, ambivalente et culpabilisée.

Pendant des années, je n'étais pas plus à l'aise avec elle qu'avec Henry ; un cadre moins qu'idéal pour un rapprochement...

Et pourtant...

Une des meilleurs qualités de la dernière période de la vie de ma mère est que, même si elle aimait Henry, elle se croyait plus heureuse loin de lui et elle paraissait plus à l'aise avec de faibles doses de son affection.

Quel luxe. Elle ne pouvait rien faire qui gâte les sentiments de Henry à son endroit. Elle le voyait aussi souvent ou aussi rarement qu'elle le voulait, pour dîner, pour le brunch du dimanche, pour discuter de mes problèmes scolaires, pour lui demander si je pouvais rester chez lui quand elle partait pour l'un de ses sinistres cours gouvernementaux à Chicoutimi, à Trois-Rivières ou à Rouyn-Noranda...

J'ai bien dit qu'elle *se croyait* heureuse et qu'elle *paraissait* à l'aise. L'aise et le bonheur ne sont pas des états que j'associe à ma mère. Vu le genre d'hommes qui lui plaisaient, je ne vois pas comment elle aurait pu atteindre ces états. Avec ma mère, j'ai toujours senti, où que nous soyons, quoi que nous fassions, qu'il y avait une agitation sous-jacente. Autant que je me souvienne, cette agitation n'a été absente que le premier jour où elle s'est assise, en silence, auprès de Henry ; et sur son lit de mort, quand j'étais à côté d'elle, toujours en silence.

Quoi qu'il en soit, en l'absence de Henry elle se comportait parfois comme si elle était insouciante et il me semble qu'elle a développé un certain sens de l'humour.

Il est bien sûr fort possible qu'elle ait toujours eu un sens de l'humour et que j'aie tardé à le découvrir. Ce serait typique de ma mère, d'être constante dans l'instinct le plus imprévisible ; à ma décharge, il faut que je dise qu'elle avait un sens de l'humour inhabituel.

Par exemple, une vieille dame du voisinage possédait un grand chien noir, un terre-neuve. Le chien était impressionnant mais inoffensif et la dame le laissait se promener libre dans la rue.

Puis une poignée de jeunes a déménagé dans la maison voisine de la sienne. À partir de ce moment-là, quand nous la rencontrions dans la rue, elle se plaignait du bruit assourdissant qu'ils faisaient, de leur langage grossier et de leur dégoûtante malpropreté. C'en était vraiment trop pour la pauvre femme, d'autant plus que les jeunes avaient un chien féroce qui terrorisait le voisinage. C'est-à-dire qu'il terrorisait le voisinage jusqu'au jour où le terre-neuve l'a blessé grièvement dans une échauffourée.

Nous étions tous soulagés.

Et puis, peu après, le terre-neuve a été battu à mort et son corps abandonné sur le trottoir. Le chien a sans doute été tué par les jeunes, mais il n'y avait pas de témoins.

Tu peux imaginer le désespoir de la vieille dame.

En tout cas, nous étions en train de discuter de l'incident à table, le soir, ma mère et moi, tous les deux choqués de la mort du chien. Elle poussa distraitement mon assiette devant moi et distraitement, je regardai de quoi il s'agissait. (Ce n'était habituellement pas une bonne idée de regarder.)

— Qu'est-ce que c'est ? demandai-je.

C'était brûlé, enfoui sous une sauce aux champignons. Et ma mère répondit :

— Je ne voulais pas que la pauvre bête se perde, Thomas.

Pendant un instant, je l'ai presque crue. Elle avait dit ça si doucement, avec une telle émotion.

C'est bien typique de mon enfance d'avoir cru, même un instant, que ma mère avait ramassé le cadavre du chien, l'avait écorché puis l'avait servi avec de la crème de champignons Campbell. (Et c'est aussi bien typique de sa cuisine.)

Même si ça m'a coupé l'appétit, j'ai ri. Tous les deux, nous avons ri. Nous avons ri ensemble, quoiqu'il était étrange de maintenir dans mon esprit deux images aussi opposées que le corps sanguignolent du chien dans la rue et, en même temps, ma mère en train d'écorcher l'animal pour le dîner.

Nous n'avons pas été capables de manger notre porc à la sauce aux champignons ou la gelée de menthe qui l'accompagnait.

Ça n'était pas la première fois que nous riions ensemble, mais l'incident reste dans ma mémoire pour plusieurs raisons :

- le bruit du rire de ma mère ;
- les détails qui font appel aux sens (à ce jour, je ne peux toujours pas supporter la crème de champignons).

C'était aussi la première indication qu'il y avait chez ma mère des aspects qui allaient au-delà de ce que mon ressentiment me permettait de voir ; un moment crucial de notre relation.

Une distinction frappante entre ce que j'étais enfant et ce que je suis maintenant tient à la découverte du sens de l'humour de ma mère. Cela amène toutes sortes de questions. Car enfin, quelle part de ce que je prenais pour de la froideur et un manque d'affection était en fait froideur et humour ? Est-ce que la combinaison froideur et humour est préférable chez les parents ? Est-ce que « absence d'affection » et « sens de l'humour » sont incompatibles ? Peut-être n'y avait-il aucune froideur, et c'était pur sens de l'humour.

Bien sûr, quant à l'humour, je suis loin d'être un expert. Pendant le plus clair de mon enfance, j'étais trop sérieux pour rire de moi-même, trop sérieux pour rire de quoi que ce soit. J'ai fait de grands progrès depuis. Il y a peu de choses que je trouve aussi drôles que moi-même, je puis te l'assurer.

Ma mère riait beaucoup de moi, maintenant que j'y pense, mais elle riait d'elle-même aussi. Peut-être que « rire » n'est pas le bon mot. Ça n'est pas tant qu'elle riait… C'est qu'elle ne pouvait pas prendre au sérieux son côté ténébreux.

Elle a même trouvé de quoi rire dans sa relation avec Gerald Perry, le seul homme que j'aie jamais vu la frapper. Je me souviens de lui précisément : grand, obèse et blond. Il n'enlevait jamais sa veste de cuir et il sentait l'huile à moteur.

— Qu'est-ce' tu r'gardes ? m'a-t-il demandé juste avant de lancer ma mère contre le mur et de sortir enragé de la maison. (Même à ce moment-là je croyais rêver.)

À son sujet, elle disait

— Il m'a coûté une fortune en maquillage

et

— C'était un gentil garçon, mon chéri, il ne m'a jamais frappé qu'un côté du visage, tu sais.

Ces mots m'avaient choqué, dans le temps, mais ce n'est pas Gerald Perry qu'elle prenait à la légère, c'est elle-même. Elle était son propre sujet de ridicule ; parfois.

C'est cela qui me rapproche le plus d'elle.

Ça doit paraître étrange que je commente ainsi le sens de l'humour de ma mère, mais en plus d'avoir été un élément qui nous a rapprochés, c'était comme son ombre dans ses dernières années.

Plus qu'une ombre.

C'est après que j'eus accepté cet aspect de sa personnalité qu'elle a commencé subtilement à passer de Katarina à Maman, et de Maman à Katarina, selon. C'est-à-dire que si les mères sont autoritaires et effrayantes, elle était d'abord et avant tout ma mère. Si elles sont tendres et aimantes, elle était la plus maternelle juste avant de mourir.

Je sais bien que les mères sont *à la fois / les deux* — à la fois effrayantes et aimantes — mais je pense que son côté tendre est Maman et c'est déconcertant de garder de moins beaux souvenirs de ma mère en tant que Maman que de ma mère en tant que Katarina.

Il y a un moment qui ressort, cependant, un moment qui se situe au sommet de la Maternité.

C'était avant que je quitte les deux foyers, au début de ma deuxième année à l'université : en 1977.

J'avais vingt ans.

Nous nous rencontrions pour déjeuner, ma mère et moi, dans le quartier de Tunney's Pasture ; le nom m'est resté, pas l'apparence du quartier. Nous ne nous rencontrions à peu près jamais pendant la journée, je devais donc être contrarié par la rupture de mes habitudes.

Je ne me souviens pas de la raison pour laquelle nous mangions ensemble, mais nous parlions de Erwin Lewis, un Jamaïcain dont je n'ai jamais réussi à comprendre l'accent, le dernier des hommes à la décevoir, quoiqu'il était dans le paysage depuis un bon moment, il me semble. Huit mois ? Un an ?

Dans ma mémoire, la cafétéria où nous mangions est blanche ; murs blancs, tuiles blanches au sol. C'était peut-être l'hiver. Non, même les plateaux sont blancs, et les tubes fluorescents sont extrêmement brillants. Peut-être que je vais tomber malade.

Ma mère portait des lunettes ; elle n'en portait jamais à la maison. Elle avait une veste bleu marine, un chemisier jaune canari, une jupe marine étroite, un collier de fausses perles. Elle avait vraiment l'air d'une matrone quand elle allait travailler, et elle semblait bien peu maternelle.

Ses cheveux étaient courts, avec très peu de cheveux gris. Son visage était uni, sans pattes-d'oie, sauf quand elle se renfrognait. Son rouge à lèvres était, comme d'habitude, trop brillant. On aurait dit que ses lèvres volaient devant sa bouche ; à part ça, c'était une femme superbe.

Je ne me souviens pas comment le sujet de Erwin est apparu. Depuis combien de temps était-il parti ? Pourquoi était-il parti ? Comment pouvait-il être aussi cruel ? J'ai trouvé tout cela tellement absurde.

— Pourquoi te mettre avec des hommes pareils ? lui demandai-je.

— Qu'est-ce que je devrais faire ? me demanda-t-elle en souriant.

— Tu devrais être raisonnable. D'après ce que je peux voir, tu aimes être malheureuse...

(En voilà une bonne.)

— Je n'ai pas de compassion pour toi, lui dis-je.

Et je lui ai expliqué pourquoi. Elle était irresponsable. Elle ne se respectait pas elle-même. Emporté dans ma rhétorique, je fis une série de recommandations, d'une psychanalyse (pour elle) à plus de retenue personnelle. Et j'avais l'impression que nous arrivions finalement à communiquer, que je lui disais enfin des choses qu'elle n'avait jamais entendues.

Je ne croyais pas à la psychanalyse alors. Je n'y crois pas maintenant. C'est à peu près aussi scientifique que de se gratter les couilles, mais j'ai suggéré la chose parce que ça faisait adulte, et je me souviens d'avoir parlé et parlé, levant le regard pour voir son visage souriant, prenant son sourire pour un encouragement.

Et puis j'ai levé les yeux et elle pleurait. Depuis combien de temps ?

— Qu'est-ce que j'ai dit ?

— Rien, Thomas... je m'excuse.

Elle prit un mouchoir de la manche de sa veste, elle enleva ses lunettes pour essuyer ses yeux.

— Je pensais que tu n'aimais pas Erwin.

— Je ne l'aime pas...

— Pourquoi ne pas être honnête ?

(En voilà une autre bonne.)

— Pourquoi pleures-tu ?

— Je ne sais pas.

Cela mit fin à la conversation. Ses yeux étaient bouffis, ses mains tremblaient. En reniflant, elle fouillait dans son sac pour retrouver son miroir et son maquillage. Elle avait trente-neuf ans, plus jeune que je ne le suis maintenant, mais elle paraissait tellement vieille.

Et je lui en ai d'abord voulu parce que je me disais : tout cela a à voir avec moi... mais j'essaie de l'aider. Elle n'a qu'à être moins sensible. Il ne faut pas me prendre au sérieux. C'est la première fois qu'elle fait ça.

C'était comme si elle m'avait trahi.

Puis je lui en ai voulu parce que je me disais : tout cela n'a rien à voir avec ce que j'ai dit. Elle s'ennuie d'Erwin, la pauvre femme. Elle ne m'a pas pris au sérieux du tout. Comme si c'était mal de *ne pas* me prendre au sérieux. Est-ce qu'elle m'a seulement entendu ? M'a-t-elle jamais écouté ?

Et pourtant, à ce moment-là, en train de s'essuyer les yeux et de refaire son maquillage, elle était celle qu'elle n'avait jamais été pour moi : tout à fait humaine, pas du tout divine.

Ces contradictions sont vraiment typiques de mes états d'âme envers Maman. En ce qui concerne ma mère, c'est comme si j'avais élaboré une relation amoureuse à partir du chaos.

En fait, quant à l'ordre des choses, il semble que je sois sorti du ventre de ma mère, de ce ventre-là en particulier, à un moment quelconque du 15 janvier 1957. Il s'ensuit, d'après ce qu'on m'a enseigné, que Katarina MacMillan a fourni la moitié des éléments nécessaires à mon existence.

Donc, de la femme qui a accouché de moi, je sais le nom, une date de naissance, un peu de sa parenté, et un petit nombre d'incidents de sa vie. Essentiellement, je n'en sais guère plus d'elle que de mon père, et ce que j'en sais est presque inutile quant à la véritable connaissance. C'est-à-dire que je peux tout juste ébaucher le début d'une réponse à la question « Qui était ta mère ? »

Par ailleurs, je peux tout juste ébaucher le début d'une réponse à la question « Qui suis-je ? »

Connais-toi toi-même ? Pardonne-moi, mais que les anciens Grecs aillent se faire foutre. Connaissant si peu mes origines, mes parents, quoi que ce soit, quelles sont mes chances de me connaître moi-même ? Et de plus, qui je suis dépend de quand je suis, et quand je suis n'est qu'une estimation comparable à de la buée sur une vitre.

Oui, oui ; la vieille histoire. L'ignorance humaine est aussi répandue que la poussière, et si je pouvais accepter mon ignorance, je serais plus heureux.

Mais même si elle ne m'a pas apporté de bonheur, l'ignorance m'a fourni la seule passion soutenue que j'aie connue, non seulement la passion du savoir, mais aussi la passion pour des choses établies, et les choses établies sont des liens, et les liens sont amour, ou tout près de l'amour, si j'ai bien compris. Je m'excuse ; ce que je veux dire, c'est que puisque je suis qui je suis, j'aurais pu aimer ma mère moins si je l'avais mieux connue. Mon ignorance est le moteur de notre intimité.

Je ne suis pas obsédé par ma mère, mais il se trouve qu'elle a été l'élément le plus imprévisible de ma vie, celui avec lequel j'ai le plus souvent tenté de créer un lien ; pour l'amour, certes, mais aussi pour me protéger moi-même.

Je me demande si tout cela a un sens.

Le jour où j'ai emménagé dans mon appartement au coin de Gilmour et Lyon, j'ai invité ma mère à dîner.

Je n'avais pas de table et uniquement deux chaises.

J'avais déballé mes choses en un instant. Mes livres étaient ordonnés en piles contre le mur de ma chambre. Sur le lit, la seule paire de draps que j'avais. Les draps étaient blancs, trop petits pour le matelas. Mes vêtements étaient dans une commode basse.

Tout ce que j'avais d'ustensiles de cuisine était réuni dans un tiroir que j'avais d'abord doublé de papier ciré. Les ustensiles étaient avec mes quatre couteaux, trois fourchettes et une demi-douzaine de cuillers. Une seule armoire dans la cuisine, bien assez pour trois tasses, quatre assiettes, deux casseroles et une poêle à frire.

L'appartement avait une odeur d'humidité et de terre, quoique ici et là il y avait aussi un parfum de pin venu d'un panneau cloué au mur par le propriétaire. Les planchers étaient en béton et froids. Il n'y avait que deux fenêtres, une dans la cuisine et une dans la pièce avant, deux rectangles tellement petits et sales qu'ils auraient laissé passer bien peu de lumière même s'ils avaient été au-dessus du niveau du sol.

L'ancien locataire avait laissé une lampe, un tapis rond dont les glands noirs lui donnaient l'allure d'un insecte multicolore, et un petit téléviseur noir et blanc qui avait ses habitudes et livrait parfois une douce lumière bleuâtre et un son grinçant.

Je pensais que j'étais chez moi et j'aimais l'endroit.

Le premier repas que j'ai fait dans ce premier appartement était du corned-beef au chou et au riz blanc. Ça devait être plutôt lamentable. J'ai frit le corned-beef pour qu'il se défasse, j'ai rempli la poêle d'eau, ajouté du ketchup et un filet de Worcestershire. J'ai ajouté une boîte de maïs sur le bœuf et placé une couche de chou sur le tout.

Après que ça eut bien bouilli, j'ai placé cette pitance pour édentés sur un lit de riz blanc et ma mère et moi, une assiette sur les genoux, nous avons mangé dans la pièce d'en avant.

— C'est bon, dit-elle.

Malgré ça, elle n'a réussi qu'à prendre une cuillerée ou deux.

— Es-tu sûre que ça va ?

— C'est très bon.

— Pourquoi tu ne manges pas ?

— Je veux vivre, mon chéri.

Je n'ai pas pu cacher ma déception.

— Je pensais que tu aimais ça.

— J'aime ça, Thomas, mais je n'ai pas faim.

Elle déposa son assiette et vint placer ses bras autour de mes épaules.

— Je ne me souviens pas de la dernière fois où quelqu'un a cuisiné pour moi, dit-elle.

— Et Henry, alors ?

— Sauf Henry.

Et elle m'embrassa sur le front.

Et je me rends compte, après avoir tant écrit sur savoir et ne pas savoir, passé tant de temps à me rappeler son comportement difficile, ses faiblesses, son indécision... je me rends compte que ma mère a souvent été une femme affectueuse.

Au fil des années, elle devenait de plus en plus souvent affectueuse.

(Je ne tiens pas à lui donner une sorte de noblesse après coup. Ses deux années avec Henry ont été, en autant que je puisse voir, ses deux seules années de foyer et de bonheur mais il me semble maintenant qu'elle a lutté contre son propre destin pour les obtenir. Je veux dire qu'elle était fondamentalement une femme instable. Il a fallu qu'elle aime Henry énormément pour qu'existe cette courte vie avec lui.)

J'aurais envie d'écrire « elle a changé » ou « j'ai changé » ou « nous avons changé », mais à quoi bon ? Quand ne changeons-nous pas ? Quand arrêtons-nous de changer ?

Elle est en train de changer maintenant, même si elle est morte depuis des mois.

Comme si la mort était un printemps, un lieu de séjour.

# MÉNAGE

## XIII

LE TEMPS A PASSÉ, comme il le fait habituellement, pas moment par moment, plutôt d'une crête à l'autre.

De 1979 à 1990, il y a plus de choses qui sont arrivées autour de moi qu'à moi : le Québec a hésité puis est resté, on a signé la Constitution un jour venteux quand j'étais à la maison avec une fièvre, Clark et Turner ont été de superbes premiers ministres, l'entente du lac Meech est morte, l'entente de Charlottetown est morte ; le nettoyage ethnique, le maintien de la démocratie, la fatwa et le jihad... tant de façons intéressantes de dire la mort, et puis la mort elle-même : des autocars se sont abîmés dans des vallées, des trains sont tombés des ponts, des avions se sont écrasés...

J'ai appris tout ça en lisant le *Citizen*, ma fenêtre nécessaire et divertissante sur le monde extérieur.

Il y a eu plus, bien sûr. Il y a eu Ilya Prigogine, Kenichi Fukui et John Polanyi ; Subrahmanyan Chandrasekhar, Carlo Rubbia et Simon van der Meer...

Je suis tombé amoureux, je pense, puis je m'en suis relevé.

Je me suis fait écraser deux orteils un jour de fête nationale. Je me suis brisé un pouce en jouant au softball.

J'ai déménagé de Gilmour à Percy, à MacLaren, à Percy.

Je suis tombé amoureux, j'en suis sûr, puis je me suis relevé. Ce qui a commencé comme un emploi d'été, un poste insignifiant aux laboratoires Lamarck, est devenu ma vie professionnelle. À partir de la fin de mes études en 1979 (baccalauréat ès sciences, Université d'Ottawa, *summa cum laude* malgré moi), j'ai commencé à travailler à temps plein chez Lamarck. J'ai progressé lentement de l'observation de tests sanguins et de décomptes de globules vers l'aide à ceux qui les observaient et, finalement, à la supervision de ceux qui observent ; pas de grands changements dans ce que je fais, mais un changement de statut.

C'est une question de tempérament et de goût, je suppose. J'aime le milieu. Je suis tout aussi séduit par le centrifuge maintenant que je l'étais quand j'y ai placé ma première fiole. J'aimais regarder dans des réfrigérateurs des objets bien rangés, bien identifiés. Le laboratoire, avec ses différentes pièces toutes à peu près propres, était accueillant.

Et puis j'aimais bien les gens avec lesquels je travaillais : Linda Graham et Ron Webb, John McCann et Linda Mitchell.

Ils me manquent.

Ces douze derniers mois, de la mort de ma mère jusqu'à maintenant, représentent ma plus plus longue période éloigné de Lamarck depuis l'âge de vingt et un ans et j'ai commencé à avoir des rêves de centrifugeuses et de plasma.

Je me souviens de si peu de chose de la période 1979-1990 que c'est comme si quelqu'un l'avait vécue à ma place.

Je visitais rarement Henry ou ma mère, car j'avais autre chose à faire, des choses si mémorables que je ne m'en souviens pas, sauf d'un quelconque plaisir, d'une quelconque douleur.

Et puis, en 1990, ma mère est retournée à Petrolia.

C'est une décision qui me paraît aussi déroutante maintenant qu'il y a sept ans. Elle s'était acheté une petite maison dans Sandy Hill. Elle n'aimait guère les autres femmes mais elle avait, je pense, quelques amies. Chaque fois que je la voyais, elle semblait heureuse.

Il aurait fallu bien plus d'imagination que j'en ai pour prévoir qu'elle retournerait à une ville si malheureuse.

— Je pensais que tu aimais Ottawa, dis-je.

— Je n'ai jamais aimé Ottawa, répondit-elle.

Déjà, cela était déroutant.

Elle ne voulait pas, ou elle ne pouvait pas dire pourquoi, mais elle décida de retourner à la maison de ses parents. (*Voilà* un endroit que je croyais qu'elle méprisait et j'ai été étonné d'apprendre qu'elle ne l'avait pas vendue.)

Je ne me souviens pas si je l'ai aidée à empaqueter ses choses, ou si je l'ai aidée à déménager. Je suppose que oui. Henry l'a sûrement fait et, pendant l'exil volontaire de ma mère à Ottawa (et après son retour à Petrolia), il m'a souvent demandé de ses nouvelles.

— Est-ce qu'elle va bien ?

— Est-ce qu'elle a assez d'argent ?

Il tenait pour acquis, comme il serait normal que d'autres le tiennent pour acquis, que je la voyais plus souvent que lui. Après tout, j'étais encore son fils. Et puis, franchement, c'était ma ferme intention d'aller visiter ma mère à Petrolia. Nous en parlions souvent.

— Quand viendras-tu me voir, Thomas ?

— Bientôt, bientôt...

— Pourquoi tu ne viens pas cette fin de semaine ? Tu pourras dormir dans ton ancienne chambre, tu sais.

— Bien, mais peut-être pas cette fin de semaine.

À lire ces lignes, on pourrait croire que c'était mon tour de la faire souffrir de solitude à Petrolia, comme si j'avais après tant d'années gardé mon souhait de vengeance. Rien de plus loin de la vérité. D'abord, j'avais trente-trois ans quand ma mère est retournée à Petrolia. Avec le temps, j'avais enterré la plupart de mes récriminations. Et puis elle n'était pas si seule que ça. D'après ce que je comprenais, elle avait sa propre vie organisée à Petrolia. Elle travaillait à Sarnia et elle entrait chez elle, à sa maison auprès de ses amis.

Et puis, franchement, j'avais l'intention d'aller la visiter.

Et pourtant, je ne l'ai jamais visitée, pas une fois jusqu'à sa dernière semaine.

Tu comprends, je ne savais pas qu'elle allait mourir ; qu'elle allait mourir plus vite que prévu, je veux dire. Si j'avais su...

Si j'avais su je serais fort probablement allé.

D'une certaine manière, j'ai perdu le contact avec ma mère, mais j'ai aussi perdu contact avec Henry, même si nous vivions dans la même ville et que nous nous voyions de temps à autre.

Et puis une obsession tardive de Henry nous a rapprochés avant de nous séparer encore plus qu'avant.

Au printemps 1995, il a entrepris une recherche frénétique et, à mes yeux, inutile à travers sa bibliothèque. Il m'appela à mon travail.

— Tom, dit-il, j'ai besoin de toi.

— Tout va bien ?

— Moi ? Bien sûr !

— Qu'est-ce qui se passe, alors ?

— J'ai besoin de tes yeux.

Je me suis interrogé sur le besoin de mes yeux mais, bien sûr, ce n'était pas inhabituel de la part de Henry d'avoir des besoins inhabituels.

— Bon, d'accord. Je passe demain.

— Ce soir, dit-il. S'il te plaît ?

J'ai déjà dit que je ne visitais pas Henry souvent après que j'ai eu mon propre appartement. Nous nous parlions au téléphone. Nous nous parlions à des intervalles irréguliers mais rien, rien du tout n'aurait pu m'annoncer ce Henry-là et cet état de notre maison.

C'était le soir. Il y avait de la neige par terre et les arbres étaient encore sans feuilles. J'avais marché du coin de Main et Hazel jusqu'à Elgin. Le 77, rue Cooper était dans l'obscurité, sauf pour les lumières de la bibliothèque et celles du salon. Quand j'ai frappé, c'est Henry qui a répondu.

— Entre, entre, dit-il.

Après avoir franchi le seuil, je n'ai plus su où placer les pieds, où regarder. Il y avait des piles de livres contre les murs. Il y avait des livres sur les marches de l'escalier, la plupart ouverts. Il y avait des livres au milieu du plancher. Dans le salon, il y avait des livres sur le sofa, sous le sofa, près de la cheminée, sur la cheminée. C'était comme si une tornade avait frappé la bibliothèque récemment.

Le seul endroit non encombré de livres, c'était les tablettes de la bibliothèque. C'est vrai qu'il y avait un sentier à travers les livres, mais la partie avant de la maison était pour ainsi dire infranchissable.

Et puis, sur les murs, Henry avait épinglé des centaines et des centaines de pages. Sur quelques-unes il avait souligné une phrase ou un passage, un nombre ou une équation. Autour d'autres pages, il avait tracé un cercle à la craie jaune. Sur d'autres encore, il s'était écrit des messages à lui-même à l'encre noire.

Quant à Henry, il était toujours aussi mince, mais il paraissait désespérément courbé.

— Qu'est-ce qui est arrivé ? lui demandai-je.

— Je suis tellement content que tu aies pu venir, Tom. Je cherche quelque chose de Raymond Lulle. Je sais que c'est ici quelque part...

Je dois admettre qu'une fois surmontée ma surprise devant le désordre, j'étais fâché qu'il m'ait appelé pour trouver un livre obscur perdu parmi d'autres obscurités. Il ne savait pas où pouvait se trouver le livre. Il ne connaissait pas le titre du livre et, en fait, il n'était pas sûr que Raymond Lulle l'avait écrit. Quant à ça, nous cherchions peut-être quelque chose *sur* M. Lulle, et quand nous l'aurions trouvé son importance pouvait aussi bien tenir à ce que cela ouvrait qu'à ce que cela contenait.

— Je sais que c'est ici quelque part, pourtant, dit Henry.

Ce qui n'aidait pas du tout.

— En as-tu besoin vraiment maintenant ?

— Oh, Tom, tu sais bien que je ne te dérangerais pas si...

— C'est pourquoi ? demandai-je.

— Pour guérir le cancer, répondit-il.

— Le cancer ? Quand as-tu appris que... ?

Henry sourit.

— Je ne l'ai pas, répondit-il.

C'est un de ces moments où la réalité semble bien fragile. On m'avait convoqué à la maison d'un monsieur de soixante-huit ans et on m'avait demandé d'aider à trouver un livre de ou sur un certain Raymond Lulle parmi des piles de livres répandues à travers une maison de trois étages.

J'ai commencé à me demander comment je ne m'étais pas rendu compte que Henry était fou.

— Pourquoi n'as-tu pas demandé à Samuel de t'aider ?

— Samuel est parti, répondit Henry.

Et je dois avouer que cela ne m'a guère rassuré sur l'état de son esprit.

Ce qui m'a tranquillisé, ce qui a presque atténué ma colère, c'est le comportement de Henry. C'est drôle à dire, mais après autant de temps, il continuait d'être Henry, et plus je regardais le vieil homme devant moi, plus j'étais frappé par le fait que sa demande n'était pas si différente d'autres qu'il avait déjà faites. Il y avait un côté décontenançant chez lui, ce soir-là de 1995, mais, au moment de le suivre dans la bibliothèque, c'était un peu comme le suivre dans le laboratoire la première fois.

Et c'était rassurant de constater que ce que j'avais d'abord pris pour du désordre était, en fait, ordonné. C'était un soulagement d'apprendre que

a) les livres contre un mur n'étaient pas utiles
b) les livres au milieu d'une pièce pouvaient être ou pouvaient ne pas être utiles, selon la pièce où ils se trouvaient : ceux dans la bibliothèque étant les plus importants ; ceux dans la cuisine, les moins importants
c) les livres ouverts dans les marches de l'escalier attendaient qu'on porte un jugement sur eux ou n'avaient fait l'objet que d'une analyse superficielle
d) les pages épinglées sur un mur venaient des livres dans la bibliothèque
e) les pages entourées de craie étaient d'un intérêt immédiat, car elles contenaient une référence à Lulle
f) les pages avec des formules ou des équations étaient d'un médiocre intérêt
g) les pages où il avait écrit des mots ou des passages n'étaient que de peu ou de relatif intérêt, mais elles étaient « suggestives ».

Et ainsi de suite...

Le soulagement que je ressentais n'avait rien à voir avec le projet de Henry. Je ne croyais pas qu'il y avait une cure pour le cancer cachée quelque part dans cette bibliothèque. C'était plutôt qu'après avoir imposé un système pour sa recherche, Henry prouvait la clarté de son esprit. Et pourtant...

— Pourquoi as-tu besoin de moi ?

— J'ai besoin de toi pour lire les notes de bas de page dans quelques-uns des plus vieux livres, Tom. Mes yeux...

Je l'ai suivi dans la bibliothèque. Il alluma une autre lumière et pointa du doigt vers *La vie de Marcellus Stellatus Palingenius* de Pier Angelo Manzolli. Un certain nombre de pages avaient déjà été coupées du livre ; il y avait un rasoir sur la table juste à côté.

— Je suis navré, Tommy. Je ne réussis vraiment pas à lire ces notes.

Il paraissait aussi perplexe que moi.

— Tu n'as pas de loupe ?

— Mais oui, mais oui, mais ça fait mal quand on s'en sert.

Il n'y avait pas de réponse à ça.

— Tu pourrais peut-être commencer ici ? dit-il.

Je ne sais pas si j'arrive à décrire correctement cette soirée avec Henry. Sa signification change chaque fois que j'y pense. Je sais en tout cas que la soirée est plus touchante quand j'y pense que quand elle a eu lieu.

J'en voulais à Henry d'avoir interrompu ma routine, de me demander de lire des notes dans un livre qui, finalement, n'avait rien à voir avec les cures ou avec Lulle. Je lui ai lu les passages en latin, en italien et en anglais, mais je l'ai fait sans enthousiasme.

À quoi pouvait bien servir cette recherche frénétique ? Était-ce une autre des extravagantes idées de Henry ?

Et pourtant, pendant que je lisais les notes de Manzolli, en levant parfois les yeux pour voir si Henry écoutait, en attendant qu'il prenne ses propres notes, j'ai commencé à avoir pitié de lui. Il était maigre, et puis il était courbé, mais c'était particulièrement pénible de voir ses efforts pour contrôler son tremblement et pour écrire.

Nous étions dans la bibliothèque. Henry était assis dans un fauteuil et moi, face à lui, sur une chaise sous une lampe torchère. Henry était enfoncé dans la gueule de son fauteuil, tellement englouti dans son costume qu'il avait un air féminin. Il avait un cahier de notes sur ses genoux, dans sa main un stylo. Ses mains s'étaient refermées sur elles-mêmes, comme des escargots, et c'était de toute évidence douloureux pour lui d'écrire. Parfois, sa main tremblait tellement que j'avais peur que la plume ne tombe.

— Continue, Tom, je t'écoute.

— Oui, Henry.

Ce soir de mars-là, penché sur les fragments de pensées d'un homme mort depuis longtemps, en train de lire des mots étrangers à un homme que j'aimais, je ressentais un mélange confus de pitié et de mépris.

Je ne pouvais supporter de voir Henry dans cet état : mal à l'aise dans son propre corps, pas du tout divin.

Dans les mois qui ont suivi, Henry m'a souvent demandé d'aller lui lire des choses ou, quand il croyait avoir découvert une cure possible, de l'aider à installer son laboratoire pour faire des expériences. Pour un temps, c'était de l'ellébore noir mélangé avec quelque chose en particulier qui constituait la clé. Pour un temps, c'était un ellébore puant, puis un ellébore vert, puis pas d'ellébore du tout mais plutôt de l'agripaume mélangé avec ceci et ceci et cela encore.

Il avait besoin de mon aide pour mettre en place les vases à bec, des alambics et des brûleurs, pour compter les temps des réactions, pour garder le laboratoire parfaitement propre.

Il avait besoin de mon aide pour préparer les composés, les infusions, les cataplasmes qu'il faisait aux rats qu'il avait achetés de l'université.

Il avait besoin de mon aide et de ma compréhension.

Et qu'est-ce qui pouvait m'inspirer de la compréhension ? La cure pour une maladie qui est une note sur le zodiaque ? Une espérance désespérée dans l'ellébore, l'agripaume, le pirole, l'euphorbe et la citronnelle ? Un excentrique vieillard qui a épinglé des centaines de pages sur les murs de sa maison ?

Il n'y avait rien là pour inspirer confiance.

Pendant des mois, je l'ai vu fréquemment, pour lire, pour aider ; puis, après, j'ai trouvé des raisons pour éviter ce qui était devenu un devoir ennuyeux. Il m'arrivait de répondre au téléphone, quand j'y répondais, avec le ton de quelqu'un qui va sortir, qui s'en va vers quelque chose de si important qu'il n'a pas le temps de lui parler longtemps.

— Je suis navré, Henry.

— Il ne faut pas s'en faire, Tom.

Je le voyais de moins en moins.

Et bien sûr, quand je t'ai rencontrée (le 5 mars 1996, presque un an après que Henry ait commencé à chercher Raymond Lulle) mes pensées sont parties ailleurs.

Le Iᵉʳ septembre 1996, trois jours avant de partir voir ma mère, je suis allé visiter Henry pour lui donner des nouvelles sur la santé de Katarina, pour lui dire, en fait, qu'elle n'était pas bien quoique je n'en connaissais pas la raison.

Ce matin-là, un jeune homme m'ouvrit et m'emmena ensuite au bureau où Henry lisait. La maison était dans le même état qu'avant : des livres partout, bien que ceux placés près des murs étaient rangés en piles et il y avait des feuilles épinglées non seulement sur les murs, mais aussi sur la rampe de l'escalier et sur les portes.

Toutes les lumières étaient allumées et les torchères avaient été déplacées vers le centre de la pièce où elles se trouvaient.

J'ai repoussé les portes du bureau et, pendant quelques instants, Henry n'a pas été conscient de ma présence. Il était assis, me tournant le dos, une lampe de chaque côté de sa chaise, son corps presque plié en deux vers le livre sur ses genoux.

Sur le tableau noir, il y avait un dessin d'étoiles :

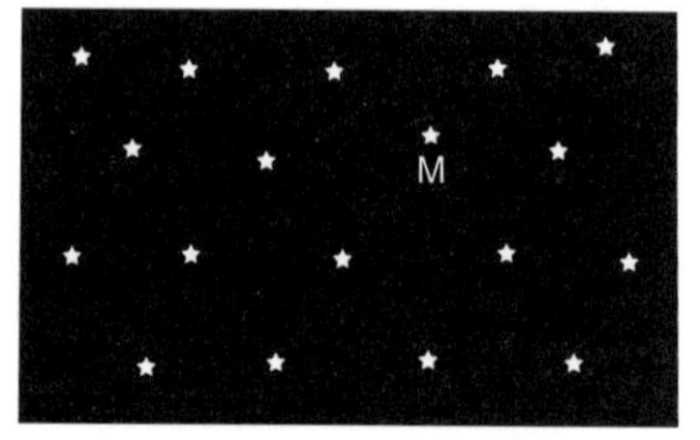


LA FIGURE M, DE KEPLER

(Le dessin est un mystère pour moi autant aujourd'hui qu'alors, mais comme je pensais qu'il était de la main de Henry, je l'ai laissé sur le tableau quand je suis venu vivre dans cette maison. Ce que le vent et la poussière n'a pas effacé est encore sur le tableau. Il ne me viendrait jamais à l'esprit de l'effacer. Ce dessin a un sens pour moi, tout comme le savon au citron a un sens, tout comme mon enveloppe de poudre d'or a un sens, quel qu'ait été le sens de « M » pour Kepler, ou pour Henry, quel qu'en soit le sens.)

Je voyais le cou de Henry. Les tendons faisaient une douce vallée. Ses cheveux gris dressés et rares. Dans une main, il tenait une loupe près de la page d'un livre qu'il gardait ouvert avec l'autre main, les deux mains pleines de jointures. Ses lèvres bougeaient tandis qu'il lisait mais, à part ça, il était parfaitement immobile.

— Henry, dis-je.

Il leva les yeux et se tourna vers moi, souriant,

— Tom, dit-il.

comme si je n'avais pas cherché à l'éviter depuis des mois.

— Tu es venu me faire une visite ?

— Non, répondis-je. Je m'en vais à Petrolia. Ma mère est malade.

— Et tu es venu me le dire.

Il déposa son livre et se leva maladroitement.

— Je vais te faire une tasse de thé, dit-il.

J'allais refuser quand il plaça son bras sur le mien.

— On dirait que c'est hier que toi et Kata êtes arrivés chez moi... T'ai-je jamais dit comme tu ressembles à ta mère ?

— Non, tu ne m'as jamais dit ça.

Nous avons lentement descendu les marches, Henry accroché à la rampe, et nous sommes dirigés vers la cuisine. La lumière de l'automne était tiède, la maison, fraîche. Il prit la boîte de thé orange pekoe dans l'armoire.

— Je vais le faire, dis-je.

— Ça va, Tom.

Alors je me suis assis à la table de la cuisine et je l'ai regardé faire le thé. Il se déplaçait comme s'il faisait ça pour la première fois, prenant une casserole sur la cuisinière, la remplissant d'eau, allumant une allumette en bois, montant la flamme, déposant la casserole sur le feu.

Nous avons attendu que l'eau boue et puis, quand elle a bouilli, il laissa tomber une petite poignée de feuilles dans la casserole. L'arôme du thé envahissait la cuisine.

Quand il eut infusé, Henry sortit deux tasses de porcelaine blanche et un petit tamis. Je pensais qu'il allait renverser presque tout le thé. Ses mains tremblaient quand il le versait à travers le tamis dans la théière. Malgré cela, il y en avait assez pour nous deux.

— Merci, Henry.

— De rien, Tom.

Nous n'avons pas parlé de ma mère. Henry ne voulait pas en parler.

— Ma mère est malade, dis-je.

— C'est ce que tu m'as dit, répondit-il.

C'est tout.

Il a parlé de livres qu'il espérait obtenir, la plupart d'entre eux tout à fait ésotériques, même selon les critères de Henry. Il a parlé de plantes qu'il attendait d'outre-mer, d'Alexandrie, de Dakar, d'Umm Qasr…

Je ne faisais pas vraiment attention à lui. Je trouvais surprenant qu'il parle de plantes alors que ma mère était malade.

— Il faut que je parte, dis-je, aussitôt terminé mon thé.

— S'il te plaît, viens me voir dès ton retour. S'il te plaît ?

— Bien sûr.

Une fois à la porte d'entrée, je me suis retourné pour serrer sa main, mais j'avais marché si vite que j'ai dû l'attendre sur le seuil. Henry a placé sa main sur mon épaule. Ne sachant quoi faire d'autre, je mis mes bras autour de lui. C'était comme embrasser un paquet de bâtons.

— À bientôt, dit-il.

Je voyais bien qu'il était ennuyé, mais je ne savais pas pourquoi au juste. Il me laissa aller et retourna dans la maison, en grommelant

— Où ai-je laissé le mortier ?

au moment où la porte s'est fermée derrière lui.

Je suis parti d'Ottawa dans une voiture louée, avec la radio comme compagne de voyage.

Je suis parti tôt, sous la pluie, et je suis arrivé avant le soir.

Petrolia, la ville, avait changé, mais seulement sur cette terre. Dans ma tête, c'était à peine différent, et j'ai senti comme une nostalgie à son endroit.

Je n'ai pas eu ce sentiment longtemps, tu comprends, mais j'ai été étonné de l'avoir. J'ai marché le long de la rue principale, faisant un détour pour passer devant le bureau de poste et, en partant de là, les endroits que j'avais connus. Je n'aurais pas pu me perdre, même si j'avais essayé.

La rue Grove n'était pas exactement comme je m'en souvenais mais je n'aurais pas su dire en quoi elle était différente. Je suppose que les maisons étaient un petit peu plus décrépites, mais le champ où j'avais cueilli des pissenlits était encore un champ, et cela était en soi remarquable.

La maison de ma grand-mère et les maisons autour d'elle étaient maintenant la maison de ma mère et les maisons de personnes que je ne connaissais pas.

Monsieur Goodman vivait toujours dans la maison des Goodman, mais il n'était plus l'homme qui m'avait fait peur dans mon enfance. Mon deuxième jour à Petrolia, ma mère dans un sommeil agité dans le lit de sa mère, je suis allé faire une promenade. J'ai entendu qu'on m'appelait et il était là, debout et chancelant sur son perron, à gesticuler dans ma direction :

— Tom... Tom...

Et quand je me suis approché

— Heureux de te voir, mon garçon, heureux de te voir. il a essayé de m'embrasser, mais je me suis éloigné. Il a presque trébuché.

— Mes jambes me lâchent, dit-il. Aucune sensation dans les jambes la plupart du temps... mais heureux de te voir, mon garçon... je t'ai tout de suite reconnu.

Ses cheveux étaient blancs. Il était gras, son ventre comme trois oreillers dans un sac. Son visage était enflé et rougeaud ; fatigue ou alcool.

— Heureux de te voir, Tom...

— Merci, dis-je.

— Ça a bien changé depuis que vous, les enfants, êtes partis de la maison.

— Comment va Madame Goodman ? demandai-je.

— Madame Goodman ? Je vis seul depuis bientôt dix ans.

— Je suis navré.

— Pas de quoi être navré, à moins que tu sois la garce avec laquelle elle est partie.

Il était tout à coup en colère.

Face à n'importe qui d'autre, je serais parti sans un mot, mais Monsieur Goodman était toujours un adulte à mes yeux. Il était toujours le père de Margaret. Le respect que je lui manifestais était involontaire.

— Il faut que je parte, dis-je.

— Ta mère est malade, n'est-ce pas ? demanda-t-il.

— Oui.

— Tu es un bon garçon, Tom. Les miens ne viennent jamais me voir.

Il était triste tout à coup.

— Viens prendre un pot avec le vieux, dit-il. J'appellerai les filles.

— Peut-être demain, répondis-je.

Quoique je savais bien que je ne reviendrais pas à cette maison, à ce sous-sol, Margaret ou non.

La rue Grove avait donc peu changé, et la maison de ma grand-mère était tellement la maison de ma grand-mère que sa vue m'a fait sursauter.

J'ai frappé, mais la porte était ouverte.

Le salon était dans la pénombre, mais la maison n'était pas silencieuse.

— Allô ?

Je pouvais entendre la voix de ma mère, puis une voix d'homme.

— Tenez-là pour moi, s'il vous plaît.

J'ai monté les marches et j'ai poussé la porte de la chambre de ma grand-mère. Ma mère était sur le lit, soutenue par une femme en blanc pendant qu'un homme retirait une seringue de sa cuisse. Je savais, bien sûr, qu'il s'agissait d'un médecin et d'une infirmière, qu'ils prenaient soin de ma mère. Mais pendant un instant on aurait dit que j'assistais à une scène honteuse et intime.

Le médecin s'est tourné vers moi.

— Et vous êtes ? demanda-t-il, non sans tendresse.

— Je suis le fils de Katarina, répondis-je.

— Lorraine, voulez-vous nettoyer tout ça pour moi ?

— Oui, docteur.

Et en se tournant vers moi :

— Voulez-vous venir avec moi un instant ?

— Qu'est-ce qui se passe ? demandai-je.

Le médecin, un Noir à la peau claire, d'environ un mètre quatre-vingt, avec des cheveux courts et un visage maigre, me regarda avec surprise et une sorte de contrariété.

— Votre mère se meurt, dit-il.

— Je croyais qu'elle était malade.

— Bien sûr qu'elle est malade. Elle a le cancer.

— Le cancer ?

Tu peux imaginer mon état d'esprit ; peut-être pas.

J'ai découvert que ma mère allait mourir si peu de temps avant sa mort. La morphine que le médecin lui avait donnée était pour ainsi dire un constat d'échec. On savait depuis des mois qu'elle allait mourir, mais une drogue moins forte avait contrôlé la douleur et l'inflammation. Quand je suis arrivé, cette drogue était devenue inefficace, un présage de la fin.

Et puis qu'elle se meure de cela même pour lequel Henry avait de façon aussi extravagante cherché une cure.

Ma mère elle-même n'avait rien dit sur l'affaire. Pourquoi ? Pour cacher quoi à qui ? Il me vient à l'esprit qu'elle m'avait appelé plus souvent que d'habitude cet été-là, mais j'avais continué comme si... promettant d'y aller un de ces... bêtement ignorant de...

Alors quand le médecin a dit

— Elle a le cancer.

j'ai été troublé.

— Le cancer ?

— Oui. On dirait que vous ne le saviez pas.

Dans les jours qui ont suivi, j'ai eu le temps de méditer sur ce que je ne savais pas.

Nous n'étions pas seuls, ma mère et moi, même si la maison était silencieuse. La maison était silencieuse et, pendant la journée, la plupart des lumières étaient éteintes, pour ne pas déranger son sommeil. Ma mère n'a plus jamais quitté sa chambre mais son infirmière, une femme forte, joyeuse, insistait pour maintenir un éclairage doux en tout temps, dans toutes les pièces si possible.

— Oh, Monsieur MacMillan, c'est tellement mieux de partir comme on est venu.

Je me demandais ce qu'elle voulait dire, quoique je n'aimais guère la lumière crue de toute façon. Ça n'est pas comme si j'avais souhaité lire, et quand j'avais besoin de me reposer de ma veille mortuaire, je sortais et je faisais une promenade. L'infirmière, quant à elle, gardait la maison en ordre, veillait aux besoins de ma mère et quand elle n'était pas à ses tâches, elle lisait dans la cuisine, près de la lampe, *The Chamber*.

Et ma mère...

Ma mère était aussi maigre que ma grand-mère, ses cheveux humides et blancs. Le cancer, qui avait commencé au sein, avait maintenant tellement progressé qu'il avait atteint ses os. Elle s'était fracturé un bras en se tournant pendant son sommeil. Il vallait mieux qu'elle reste immobile.

La plupart du temps, elle dormait, et j'étais assis dans un fauteuil à côté d'elle à surveiller sa bataille contre le drap du dessus, comme si le drap lui-même la torturait. De temps à autre, quand elle était éveillée et savait que j'étais là, je tenais sa main, mais j'avais une telle peur de briser ses os que je n'en tirais aucun réconfort, sans savoir si elle en tirait un soulagement quelconque.

Tant pour la lumière tamisée que pour le changement dans son apparence, il était troublant de voir Edna dans Katarina. Je reconnaissais ma mère par ses yeux, par son nez, par son front et par ses oreilles. Ces détails sont ceux qui en faisaient ma mère.

Pour elle, je n'étais pas toujours moi non plus. Elle m'appelait « papa », et « Henry », et, une fois, « Maman ». (Surprenant de penser qu'entre nous deux, brièvement, deux versions de ma grand-mère se sont tenu la main en face de ce qu'il faut appeler, par manque d'autre nom, la Mort.)

Non pas que nous n'ayons pas parlé ensemble pendant les deux jours que nous avons partagés, elle en tant qu'elle et moi en tant que Thomas. Nous avons parlé, mais pas beaucoup. Disons plutôt que les moments où nous avons utilisé des mots ont été brefs. Nous avons parlé sans eux, ou sans les échanger.

Parfois, elle était

consciente de ma présence, souriante

consciente de ma présence, à douter de qui j'étais

consciente de ma présence, souriante, à douter d'où nous étions.

Et je disais

— Je suis là, maman...

— C'est Thomas...

— Nous sommes à Petrolia...

Et l'infirmière, de son côté du lit, avec une ferme gentillesse

— Votre mère a besoin de repos, Monsieur MacMillan.

— Il ne faut pas qu'elle se fatigue.

— Votre mère a besoin...

Et ma mère, une fois, doucement

— Thomas... qui est cette conne ?

— C'est ton infirmière, maman.

Et l'infirmière

— Je suis vraiment navrée, Madame MacMillan. Vous voulez rester seule avec votre fils.

Et elle nous a laissés seuls.

Tu pourrais croire, comme c'était nos derniers moments ensemble, que ma mère et moi aurions parlé de choses essentielles. Je n'ai jamais été bien chanceux avec les choses essentielles, cependant. Et puis ni l'un ni l'autre ne savait que c'était nos derniers moments. Nous parlions de la pluie et du beau temps, des rideaux, des draps, et finalement :

— Es-tu à ton aise ?

— Est-ce que c'est la nuit ?

— Pas tout à fait.

— Où est Henry ?
— Il est à Ottawa.
— Tu m'as manqué, Thomas.
— Tu m'as manqué aussi.
— Est-ce que Henry est avec toi ?
— Il n'est pas ici…
Et au bord du sommeil :
— Est-ce qu'il t'a dit… ?
— Henry ?
— Je suis fatiguée, mon chéri…
Et il m'est venu à l'esprit de dire
— Attends…
en pensant que je voulais dire quelque chose, quelque chose comme
— Attends, je veux…
ou
— Attends, je ne t'ai pas dit…
mais incapable de trouver ce que je voulais dire d'autre, je dis :
— Dors, maman.

Alors les derniers mots que je lui ai dits ont révélé aussi peu que les derniers mots qu'elle m'a dits.

J'aurais pu poser une question au sujet de mon père.

À l'époque, cependant, je n'avais pas à l'esprit l'identité de mon père. J'étais préoccupé par ma mère. Je me demandais si elle était bien, si la lumière l'importunait, s'il y avait assez de lumière, si le lit avait toujours été aussi petit…

Mon père ?

Je suis, je pense, le fils de Henry, quelque ait été mon père biologique, quoique…

Mon père, puisque j'en ai eu un, aurait beaucoup plus ressemblé à M. Mataf qu'à Henry.

M. Mataf était l'homme caractéristique de la vie de ma mère. Tous les autres, à part Henry, étaient des variantes de lui, quelques-uns plus grands, d'autres plus petits, quelques-uns plus violents, d'autres moins débrouillards.

(Bien sûr, il est improbable que M. Mataf ait pu être mon père. D'abord, ma mère n'était pas constante. Il est difficile de croire qu'elle ait maintenu une relation avec un seul homme de l'année de ma naissance jusqu'à l'année où elle m'est revenue, soit de 1957 à 1967. Et puis si M. Mataf avait su que j'étais son fils, il se serait comporté différemment, je pense, non seulement vis-à-vis de moi, mais en général.)

Pour que Henry ait été mon père, il aurait fallu qu'elle le rencontre au plus tard en 1956.

Il n'y a rien là d'impensable, mais est-ce possible que Henry ait su qu'il était mon père et me l'ait caché ?

Pourquoi auraient-ils gardé ce secret, pendant trente ans ?

Quelle raison pour un silence aussi têtu ?

Non, je ne pense pas que Henry était mon père. Henry était présent dans les dernières pensées de ma mère, c'est tout, et cela m'a moins surpris que le ton de sa voix. C'était triste de l'entendre demander :

— Où est Henry ?

C'est elle qui l'a quitté, après tout. Si elle l'avait voulu, il aurait été avec elle à ce moment-là, ou elle avec lui.

Que penser d'une femme qui a passé sa vie à aimer des hommes avec lesquels elle ne pouvait pas rester ?

À partir du moment où j'ai dit

— Dors, maman.

la pièce est restée silencieuse.

Dehors, c'était un début d'après-midi lumineux. Il n'y avait pas d'enfants dans les rues. C'était la fin de l'été. J'ai marché dans la ville : vers Reeces Corners, revenant vers Oil City, puis vers le terrain de golf et l'usine de tuiles...

Une longue promenade dans une ville qui n'était pas la mienne, mais elle n'était pas encore pas à moi non plus. Je marchais tête baissée, pour éviter des édifices, des visages connus, ne levant le regard que pour les arbres le long du chemin.

Je suis rentré en soirée, la nuit tombée.

Les lampadaires étaient allumés, tout comme les lumières dans le salon de ma mère. La porte d'entrée était ouverte.

Dans la cuisine, le Dr Attale, l'homme qui m'avait accueilli à mon arrivée, était en train de parler avec l'infirmière.

— Son dernier a été… ?

Et me voyant :

— Mes condoléances, Monsieur MacMillan. Votre mère est morte.

J'ai remarqué ses initiales sur sa trousse noire (H.C.) et la blancheur des chaussettes de l'infirmière.

Ils s'attendaient tous les deux à quelque chose de bizarre dans mon comportement, mais je m'étais rarement senti aussi stable.

— Merci, dis-je.

Je suis allé dans la chambre ; ça semblait la chose à faire. L'infirmière avait brossé les cheveux de ma mère, avait rangé la pièce et ouvert les rideaux. C'était la nuit et une lampe était allumée.

Les yeux de ma mère étaient fermés. J'ai retenu l'envie de les ouvrir.

Le drap était remonté jusqu'à son menton.

Malgré moi, je me suis penché et j'ai déposé un baiser sur son front et même si j'ai ressenti une foule de choses, je suis arrivé à retenir mes émotions.

Ma mère est morte à 58 ans, 7 mois et 23 jours.

Elle a été enterrée trois jours plus tard, un mardi.

Il y avait un peu de monde à ses funérailles. Je ne connaissais personne, sauf Irène Schwartz.

— Je suis navrée pour ta mère, dit-elle.

Elle était venue me voir autant qu'elle était venue offrir ses respects à Katarina. Irène prit ma main et frôla ma joue avec la sienne. Sa peau était sèche.

— Comment va ta mère ? lui demandai-je.

— Tu sais, maman vit à Minneapolis maintenant.

— Je ne savais pas, dis-je.

Et pendant un instant la pensée que je ne reverrais jamais Madame Schwartz m'a attristé.

— Je lui dirai au sujet de ta mère.

Pendant le service, nous étions assis ensemble, Irène et moi. Nous sommes allés ensemble au cimetière et avons vu descendre le cercueil de ma mère dans la même terre où se trouvait ma grand-mère et mon grand-père.

(Je ne m'y trouverai jamais.)

Quand le cercueil a été au fond et que le curé se fut éloigné, Irène dit :

— Viens nous visiter, Tom. Mon mari aimerait beaucoup te rencontrer.

— Bien sûr.

— Ma fille ressemble tellement à maman... Il faut que tu viennes nous visiter.

— Bien sûr, dis-je.
même si je n'ai jamais fait cette visite.

Les jours qui ont suivi la mort de ma mère, et avant ses funérailles, ont été parmi les plus tranquilles que j'aie connus.

Bien sûr, j'ai eu à faire face à l'avocat de ma mère, qui m'a gardé une heure dans son bureau avant de lire son simple testament.

Et puis le lendemain du jour où on a emporté le corps de ma mère, j'ai fait les arrangements pour vendre la maison :

*Maison familiale à vendre*
*toute offre raisonnable sera étudiée*

La maison de ma mère était en ordre. Il n'y avait rien à nettoyer et très peu à réparer.

Alors une fois terminées les affaires de sa mort, je me suis enfermé.

Ma mère avait accumulé une pleine armoire de soupes ; des consommés, des boîtes de consommé de bœuf, achetées en solde, je suppose, puisqu'il n'y avait pas d'autre raison logique pour un tel nombre. Il y avait des biscuits rassis ; il y avait du beurre et il y avait un pot de gelée de menthe. Je m'en fichais pas mal. Je n'avais pas faim.

Je me promenais dans la maison, passant un moment dans mon ancienne chambre ou dans la cuisine ou dans le salon ou, enfin, dans la chambre de ma mère. (Comme c'est dangereusement facile, parfois, de ne rien faire du tout.)

C'était douloureux de rentrer dans la chambre de ma mère, difficile d'y rester, mais j'y suis resté.

Pour une femme qui n'avait guère manifesté de nostalgie que dans ses dernières années, ma mère avait conservé une bonne partie de son passé.

Comme à l'époque de ma grand-mère, un miroir était suspendu au-dessus de sa commode. Mes grands-parents continuaient d'occuper leurs cadres d'argent. La pièce n'avait plus de parfum de lavande, mais les tablettes avaient encore les mêmes manuels scolaires, les missels et les livres pour enfants.

Mais rien de tout cela, les bibliothèques, les missels ou la commode, rien ne me laissait aussi rêveur que ses lettres, encore là où je les avais trouvées, trente ans plus tôt, mais maintenant parmi les objets de ma mère.

Comprends-moi, ce qui me laissait perplexe, ça n'était pas les lettres puisque je les avais déjà lues ; sans bien les comprendre, bien sûr, mais leur contenu était quand même plutôt prévisible. Mais c'est plutôt que je trouvais triste le fait qu'elle ait gardé ces souvenirs de sa vie dans le désert. Elle devait souffrir en les lisant.

*Chère maman,*

*Je suis tellement reconnaissante que tu puisses garder Thomas encore un peu. Il me manque tellement. J'aimerais vraiment que tu m'envoies une photo de lui, mais je ne sais pas combien de temps je vais encore rester à Saskatoon et je ne sais pas où nous allons ensuite.*

*Tu n'as pas idée de la difficulté d'être séparée de son bébé. Je crois que ça ne peut être comparé à rien d'autre. Je vais revenir le chercher aussitôt que j'aurai trouvé du travail. Je connais des gens qui ont une voiture. Nous allons faire le voyage en voiture pour aller chercher Thomas aussitôt que j'aurai trouvé du travail.*

*Je vais t'écrire à nouveau aussitôt que j'aurai une nouvelle adresse.*

*À bientôt,*
*Kata*

Cette lettre, écrite en 1961, est la première de celles que ma grand-mère a conservées. Toutes les autres, que j'ai devant les yeux maintenant, sont à peu près semblables, promettant toutes un retour prochain, quelques-unes demandant de l'argent. Dans plusieurs lettres, elle semble pleine de remords, dans d'autres, on dirait du ressentiment, de l'espérance, ou bien elle est contrite...

Le ton des lettres est celui auquel on pourrait s'attendre de la part d'une fille qui méprise sa mère. Il y a peu de détails indiquant où elle se trouvait, encore moins sur ceux avec qui elle était. Dans une seule lettre, elle donne son adresse : 77, rue Cooper, mais à Vancouver.

Ce qui est sans doute le plus décevant c'est que quand, en 1965, elle a commencé à écrire des petits messages pour moi dans ses lettres à la maison, ils en disaient aussi peu que ses messages à ma grand-mère. Il m'arrive de penser que c'est la tendresse qui a empêché ma grand-mère de me lire ces lettres.

Ç'aurait été affligeant d'apprendre que ma mère allait venir bientôt sans que ce soit vrai.

Je ne veux pas laisser croire que ces lettres ne voulaient rien dire pour moi, qu'en attendant les funérailles de ma mère j'ai découvert quelques feuilles de papier jauni sans valeur, trente feuillets en tout, que j'aurais pu laisser derrière moi comme j'ai laissé bien d'autres choses : vêtements, livres, meubles, parapluies, boîtes de consommé.

Ça n'est pas ça du tout, bien au contraire.

Pendant que j'étais seul dans la maison, j'ai lu et relu, et relu encore les lettres de ma mère, sans anxiété, et même sans nostalgie, mais de façon méticuleuse. J'ai filtré les mots de ma mère comme Madame Williams filtrait les grains de riz blanc pour trouver les grains noirs, ou pire.

J'aurais voulu trouver des indices de mes origines, je suppose, ou une description convaincante de ses efforts pour revenir, de son état d'esprit.

Pendant deux jours, j'ai gardé les lettres étendues sur la table de la cuisine ; chacune à portée de la main, les feuilles encore imprégnées de l'odeur du bois du tiroir où elles avaient été enfermées. Je les ai lues et relues jusqu'au moment où, après un temps, je connaissais aussi bien les espaces que les mots, et chacun de ses mots débordait de possibilités. Par exemple, « Chère » et « maman »...

« Chère maman » : c'était la convention, bien sûr, mais on ne peut savoir si elle voulait dire « *Chère* maman » ou plutôt « Chère *maman* », ou les deux, ou ni l'un ni l'autre, ou une combinaison des deux où « chère » acquérait l'importance de « maman » ou s'en éloignait. Ressentiment, profond respect, amour, méfiance : tout un jeu d'émotions possibles couvrait chaque mot ou s'y accrochait, comme de l'eau sur une pierre. Comme tu peux te l'imaginer, si un mot aussi banal que « chère » ou « maman » offrait autant d'alternatives, mes chances étaient nulles avec des mots plus complexes comme « reconnaissante » et « Saskatoon ». Après un temps, j'ai perdu le sens de ces mots-là complètement.

Pendant deux jours, j'ai passé des heures dans la cuisine, avec les rideaux ouverts pendant la journée, la lumière allumée le soir, debout devant les lettres de ma mère, ou assis, un enfant qui cherche...

Un enfant qui cherche sa mère ? Non, pas tout à fait. Je n'étais motivé ni par la panique ni par la nostalgie. J'étais presque tout le temps calme. Il y a pourtant eu un moment, tard le deuxième soir, épuisé de lire... il y a eu un moment où brièvement j'ai été accablé.

Je regardais les mots de ma mère depuis si longtemps qu'ils ont véritablement disparu. C'était comme si la couleur avait disparu des mots que ma mère avait écrits. Le reste du monde n'a pas changé : la table, la lumière, l'obscurité à l'extérieur de la fenêtre de la cuisine.

J'ai commencé à désespérer. Je croyais mon équilibre mental perdu, quand j'ai remarqué que même si les mots avaient disparu, la ponctuation, elle, était restée. Les minuscules pattes de mouche que ma mère avait faites sur le papier, les points, les virgules demeuraient.

Ce genre de chose ne m'arrive pas souvent, tu sais, et même à l'époque je savais que mon esprit me jouait un tour, mais j'ai vu les points et les virgules non pas comme de la ponctuation mais comme l'expression du souffle de ma mère.

*Chère maman* (**respiration**)

*Je suis tellement reconnaissante que tu puisses garder Thomas encore un peu* (**longue respiration**) *Il me manque tellement* (**longue respiration**) *J'aimerais vraiment que tu m'envoies une photo* (**respiration**)...

Et cela m'a soudainement frappé que les petites bêtes qui vivent dans la forêt de la page, les points et les virgules, étaient les seules choses de valeur dans ses lettres. Ils étaient les silences par lesquels je l'avais connue pendant des années. Si j'avais pu les voir, j'aurais moi-même effacé ses mots, pour mieux voir la ponctuation.

Pendant un instant magique, aux alentours du milieu d'une nuit tranquille du début de septembre, deux jours après sa mort, j'ai pu voir et entendre le doux son de la respiration de ma mère : à travers moi, au-dessus de moi, en moi.

Comprends-moi, je manquais de sommeil.

Et je suis tombé endormi, la tête sur la table de la cuisine, parmi les pages dispersées des lettres de ma mère ; les lampes allumées, les lampes éteintes.

Ça n'a pas été un moment décisif de ma vie. Rien ne m'a été révélé, rien n'a été résolu et, bien sûr, quand je me suis réveillé, j'ai à nouveau vu les mots que ma mère avait écrits.

C'était quand même quelque chose. C'était, disons, la première partie d'un adieu. Et le lendemain matin, quand j'ai serré la main d'Irène en répondant

— Bien sûr.

je n'avais aucune envie de revoir quoi que ce soit de Petrolia.

J'étais déjà parti.

Je suis parti le lendemain : mercredi.

Plusieurs heures de solitude en route pour la maison. Le sud-ouest de l'Ontario se repliait derrière moi comme une vieille carte.

Mon imagination était pleine de versions de toi, de ma mère et, surtout, de Henry. C'est tout juste si je remarquais le paysage quoique, dans les environs de London, les touches de rouge et de jaune m'ont distrait pendant quelques kilomètres.

Si je pensais beaucoup à Henry, c'est pour plusieurs raisons :

1. Je devrais lui annoncer la mort de ma mère. (J'aurais pu l'avertir immédiatement par téléphone, mais j'avais négligé de le faire.)
2. Je voulais le réconforter à propos de la mort de la femme qu'il aimait.
3. Henry était maintenant la dernière personne dont les souvenirs au sujet de ma mère correspondaient à peu près aux miens.
4. Je me demandais comment il avait appris le cancer de ma mère et pourquoi il ne m'en avait pas parlé.

C'est-à-dire que je présumais que sa poursuite frénétique de Raymond Lulle était due à l'amour, que le saccage de sa bibliothèque était dû à une excentricité élevée. Je regrettais de ne pas avoir vu les choses comme ça dès le départ.

(Ce n'est pas clair pour moi que Henry savait que ma mère était mourante, ou qu'il savait qu'il le savait, mais je reconnais que, en ce qui touchait ma mère, Henry pouvait savoir sans le savoir. Je ne prétends pas comprendre tout cela, mais je l'accepte. C'est plus facile ainsi.)

J'avais quitté Petrolia dans ma voiture louée vers 11 h 30. J'étais à Ottawa à 18 h 00, au moment où la lumière du jour commençait à baisser.

Il faisait froid et ma ville sentait la terre mouillée.

Et j'étais découragé, en marchant rue Cooper, de voir tant de lumière dans la maison de Henry, toutes fenêtres illuminées, comme pour une soirée. Je me sentais triste de porter de mauvaises nouvelles, mais je suis allé de l'avant.

La porte a été ouverte par un homme petit avec un costume croisé, Monsieur Van Leuwen.

— Oui ? demanda-t-il.

— Est-ce que je peux parler à Henry, s'il vous plaît ?

— Non... ça, vous ne le pouvez pas. Vous êtes en retard pour la réception. Quelques-uns des vieux amis sont encore ici, cependant. Entrez si vous voulez.

— Vous n'avez pas compris, dis-je. J'ai d'importantes...

Mais il avait fait demi-tour, avec sa main droite qui faisait un geste dans la direction du salon.

La maison était impeccable. Tout était rigoureusement à sa place. Les murs étaient blancs et les vitres des portes étaient pour ainsi dire invisibles. Si je ne l'avais su, je n'aurais pas pu deviner le récent cahos qui avait régné là.

Dans le salon, il y avait une demi-douzaine de vieux messieurs, tous habillés cérémonieusement. Trois d'entre eux étaient assis ensemble sur le sofa ; deux étaient debout près de la cheminée. Sur la tablette de la cheminée, deux bougies rouges allumées. Un troisième homme, sans doute le plus vieux, était assis tout raide dans un fauteuil. Ce dernier me faisait penser à Henry, mais je ne connaissais aucun d'entre eux et la réunion avait quelque chose de sinistre.

Comme je m'approchais des messieurs de la cheminée, l'un d'entre eux se retourna et me fixa

— Vous êtes plutôt jeune, dit-il.

et il commença à cligner des yeux.

— Excusez-moi, dis-je.

et je m'éloignai avant qu'il ne puisse se saisir de mon manteau.

C'est à ce moment-là que le serviteur, celui que j'avais rencontré la semaine précédente, entra avec un plateau de beignets à la banane. Je me précipitai vers lui comme si je crevais de faim.

— Où est Henry ? demandai-je avec intensité.

— Monsieur Wing a été enterré ce matin, répondit-il.

Il essaya de poursuivre son chemin, pour distribuer les beignets mais, dans ma confusion j'ai pensé qu'il y avait eu une erreur.

— Pourquoi ? demandai-je.

Il a dû croire que je voulais rire.

— C'est habituel après l'embaumement, dit-il.

Je ne suis pas porté sur la violence, mais je me suis imaginé en train d'étrangler cet homme ; mes mains autour de son cou, son cou entre mes mains.

— Vous êtes Thomas, dit quelqu'un.

— Oui, répondis-je.

— Thomas... Henry est mort dimanche.

Celui qui parlait, Monsieur Van Leuwen, apparut derrière le serviteur.

— Comment ? demandai-je.

— Thrombose coronaire en travaillant. Pendant qu'il travaillait. On ne peut demander mieux.

— Superbe mort, murmura un des hommes sur le sofa.

— On meurt comme des chiens, dit l'homme dans le fauteuil (amèrement).

— Oui, mais vite c'est bon, dit Monsieur Van Leuwen.

Et il ajouta :

— Je regrette de n'avoir pas pu vous joindre plus tôt, Thomas. Vous n'étiez pas à la maison, je crois.

— Non.

— Ne vous en faites pas. Laissez-moi vous présenter ceux qui restent.

Si j'avais pu douter qu'il s'agissait là d'amis de Henry Wing, leur conversation m'aurait convaincu. Après que j'ai été présenté à

Monsieur Turcotte (dans le fauteuil)
Monsieur ... (près de la cheminée)
Monsieur ... (près de la cheminée, « plutôt jeune »)
Monsieur Elliot (sur le sofa)
Monsieur ... (sur le sofa, « superbe mort »)
Monsieur Chambers (sur le sofa)

ils ont commencé à parler de façon intime, non tellement de Henry lui-même, mais des choses qu'il adorait : la bibliothèque de Federico da Montefeltro à Urbino, la grande bibliothèque d'Alexandrie, la correspondance d'Isaac Newton, la musique de Couperin, et « Katarina » que Monsieur Van Leuwen avait été le seul à connaître.

Je ne savais pas si je devais rester ou partir, comment rester ou comment partir.

Quand je suis parti, à peu près une heure après mon arrivée, je me suis simplement levé et je suis sorti, laissant mon manteau et ma valise derrière.

Henry est mort à 69 ans, 7 mois et 24 jours, une journée seulement après ma mère.

Je prie Dieu qu'il n'y ait pas d'autre mort aussi dévastatrice.

Ça n'est pas que la mort de ma mère m'ait affecté moins que celle de Henry, mais avec la disparition de Henry j'ai perdu presque autant de ma mère que j'ai perdu de lui. J'ai perdu la lumière que ses sentiments jetaient sur elle.

Et, d'une certain façon, elle et Henry entrèrent dans l'obscurité ensemble.

Henry laissa à ma mère et à moi tout ce qu'il possédait, c'est-à-dire la maison, des milliers de dollars d'actions et d'obligations, et l'argent qu'il avait dans son compte d'épargne (78 999,88 $). C'est mon héritage ; quoique ça n'est pas une consolation pour quelque perte que ce soit.

C'était difficile, dans les semaines qui ont suivi sa mort, de visiter la tombe de Henry, mais j'y suis allé. J'y suis allé souvent. Sa pierre tombale, un rectangle massif de granit noir poli, est bien à l'abri parmi les monuments et les statues. Son nom est gravé en lettres élégantes et, en dessous, en lettres plus fines, en latin :

*spatio brevi spem longam reseces*

J'ai eu le temps de réfléchir à ces cinq mots, mais je ne peux me décider s'ils veulent dire

notre durée est courte ; réduis tes grandes espérances

ou

garde tes grandes espérances dans un petit espace.

La première interprétation est littérale, mais ça n'est pas du tout Henry. Je ne crois pas qu'il aurait un seul instant réduit ses espérances. (Et, bien sûr, sa plus grande espérance était dans l'amour de ma mère.)

La deuxième interprétation est fausse, mais c'est exactement Henry, le tombeau n'étant qu'un lieu un peu plus modeste pour la qualité qui était l'essence de Henry : l'Espérance (une fois de plus, en Katarina).

Alors, j'ai choisi la deuxième version de *spatio brevi*, celle de l'amour prolongé.

Et justement, mes doutes sur le sens de *spatio brevi* font partie de ce qui m'a provoqué à écrire, à écrire ceci.

Je veux dire qu'en février, en balayant la neige de sa pierre tombale, j'ai été frappé par le fait que je ne savais pas *vraiment* ce que Henry avait à l'esprit en choisissant ces mots. J'ai commencé à penser que je savais bien peu sur sa vie en général. Qui avaient été ses amis intimes ? Monsieur Van Leuwen ? Monsieur Chambers ? Pourquoi n'avais-je jamais pensé à le demander ?

Le cimetière était enfoui sous la neige.

Il faisait froid, mais le soleil brillait. Le ciel était bleu et, dans la neige, je pouvais voir les pistes laissées par ceux qui étaient venus visiter leurs morts.

Étais-je le seul à en savoir si peu sur son mort ?

Est-ce que je savais seulement quelque chose ?

Peut-on aimer quelqu'un qu'on ne connaît pas ?

Étrange, n'est-ce pas, que de si petites questions naisse tant d'écriture ; naisse... apparaisse... quel est le verbe ?

# XIV

ICI J'ARRIVE AU BOUT DU CERCLE, ou à la fin de la spirale, ou simplement je sors du sol. (Je veux dire que le temps est le sol, mais ma métaphore est faible.)

Je suis assis dans la bibliothèque, à un grand pupitre de bois, devant une fenêtre qui a vue sur la rue. On est le 15 septembre 1997.

Il est onze heures du matin. Il fait froid.

J'ai sur la table les choses qui m'ont accompagné depuis six mois. Dans le désordre :

De la poésie (*Norton's Anthology*)
Des lettres (de Katarina à Edna)
*L'île au Trésor*
Une enveloppe (avec de la poudre d'or)
*Della Francesca ou les ébats de l'amour*
Une clé (pour un planétaire perdu)
Des horaires (1978 - )
*La vie de Marcellus Stellatus Palingenius*
Des herbes (d'Umm Qasr)

Sur son perchoir près des tablettes de la bibliothèque, Alexandre II se déplace latéralement, d'un bout de la transversale à l'autre, puis il recommence. Il a été particulièrement agité ces derniers jours[10].

Je pense qu'il est sensible à mon inquiétude. Tu viendras demain (à 19 heures) et j'avoue que la perspective est angoissante.

Alors pourquoi donc t'ai-je invitée ?

Ça, c'est une question à laquelle je peux répondre.

C'était une nuit, il y a des mois. Je pensais que ça allait peut-être être notre dernière ensemble. J'ai séparé les rideaux de ta chambre ; je ne pouvais pas dormir et je voulais regarder dehors. J'ai vu le magasin du coin, les petites maisons, les toits, tout cela blanchi par le clair de lune ou blanchi par la neige. Et je cherchais des mots pour blancheur (lait, ivoire, lys, craie) quand tu as dit

— Viens au lit...

tu tournais le dos à la fenêtre, ton corps immobile comme si tu ne t'étais pas éveillée pour dire ces mots.

Je me suis même demandé si c'était à moi que tu parlais.

Et encore là, que sais-tu de moi ?

Tu l'as bien dit :

---

10. J'ai mentionné bien rarement les Alexandre dans ce texte, mais ils ont été très importants dans ma vie. Je me sens privilégié de pouvoir entrer dans le salon, de lever le capuchon de la cage et d'entendre (comme je l'entendais du premier Alexandre) :

– aaawwk... galope au pas... galope au pas...

Ou d'entendre (ces temps-ci, d'Alexandre II) :

– Dusha moya... aaawk... vyeshchaya dusha...

Même s'ils ne pouvaient pas parler, mes oiseaux seraient des évasions pour moi. Je ne peux regarder Alexandre, un gris d'Afrique, sans me poser des questions sur le voyage qu'il a dû faire jusqu'à moi, sur celui qui lui a enseigné à parler.

Et j'ai connu peu de jours aussi tristes que celui où le premier Alexandre est tombé de son perchoir, à battre inutilement des ailes, faisant un cercle avant de mourir.

J'étais désemparé comme un enfant.

— Tom, tu ne m'as jamais invitée chez toi...

Et c'est justement à ce moment-là, debout devant la fenêtre, que j'ai été frappé par le fait que je n'avais jamais invité personne à la maison, ni même cette femme qu'à ma consternation j'aime.

Et ainsi, tous ces mois plus tard, je t'ai invitée à cette maison, même si c'est autant celle de Henry que la mienne.

J'ai passé une bonne partie de la matinée à faire le ménage.

Comme c'est étrange que certaines pièces de la maison, celles que je ne visite pas souvent, deviennent en désordre.

On croirait que c'est ma présence qui crée le désordre et c'est un fait que les pièces où je vais souvent sont plus évidemment mal rangées.

Et pourtant même les pièces peu fréquentées, comme celle du sous-sol ou celles du deuxième, ont constamment besoin qu'on les surveille.

Non pas que je sois obsédé par la propreté. Pas du tout. Je me préoccupe peu qu'une pièce soit rangée ou pas, parce que j'aime l'effort physique du nettoyage.

Ma chambre, par exemple.

Je change les draps. Je fais le lit. Je balaie la chambre. J'essuie les murs. Je lave les fenêtres avec du papier journal et du vinaigre.

Chacun de ces gestes est un plaisir en soi, mais c'est aussi un plaisir de choisir quoi faire en premier (changer, faire, balayer, essuyer ou laver), dans quel ordre on va nettoyer cette pièce.

De toute façon, ce matin, pendant que j'époussetais, ne pensant à rien en particulier, je me suis souvenu d'un soir, il y a des dizaines d'années :

Ma mère et Henry étaient dans le laboratoire, presque dans l'obscurité, la seule lumière venant d'une petite flamme jaune qui les éclairait de dessous. Une cloche de verre particulièrement grosse était sur la table devant eux, et sous la vitre, je crus voir deux ou trois papillons de nuit bruns qui battaient des ailes et montaient avant d'éclater dans une flamme brillante et blanche.

J'étais horrifié, horrifié mais étonné que les papillons brûlent avec autant d'éclat. Ils illuminaient chaque coin de la petite pièce.

Le bras de ma mère était appuyé sur celui de Henry et, levant le regard en même temps, les deux sourirent.

Ils ne tuaient pas des papillons, bien sûr. Ce que je prenais pour des insectes étaient des carrés de papier de riz trempés dans un produit et du phosphore. Ils voletaient et s'allumaient quand Henry laissait entrer un peu d'air dans la cloche.

J'étais fasciné, et ce matin j'étais choqué d'avoir oublié ce moment jusqu'à aujourd'hui. J'ai pensé, pour un inconfortable moment, que je m'étais mal raconté à moi-même dans ces pages.

Ai-je été plus heureux que je ne le pensais ?

Eh bien oui, et non...

Le temps, qui n'est pas du tout comme le sol, transforme tout sans se préoccuper de l'ordre ou du sens. Ma vie me revient en pièces détachées, du Pablum jusqu'à la pierre tombale, chaque pièce transformant le profil de la vie que j'ai vécue.

Je vais avoir des milliers d'enfances avant la fin de mon temps.

Mais celle-ci a ses propres besoins.

Jusqu'à il y a six mois, je ne croyais pas important de regarder en arrière. Je me satisfaisais d'être fermé à moi-même.

Et puis une sorte de curiosité a fait son chemin.

Il n'y a pas eu de moment particulier, pas de raison particulière, ou il y a eu des moments et des raisons.

La semaine dernière, j'ai mis ma main sur ton bras au moment où tu allais traverser la rue Bank sur le feu rouge,

— Marya, dis-je.

et une voiture est passée à toute vitesse, à moins d'un mètre de nous.

— Oui, Tom ?

Et j'ai dit :

— Ce n'est rien.

Parce qu'il n'y avait pas de mots pour mon état de confusion.

En te voyant descendre du trottoir, j'étais moi-même et ma mère et ma grand-mère.

Après tout, je viens de quelque part.

Le passé a une forme, mais c'est la distance qui lui donne substance. Avec le temps, je vais finir par mieux voir, puis je vais recommencer, prêt à une nouvelle rétrospective s'il le faut.

C'est quelque chose que je peux faire ; attendre, je veux dire.

En fait, maintenant que j'y pense, c'est quelque chose que j'ai fait depuis mes tout premiers jours : rester tranquille, regarder, attendre.

Il m'est arrivé de penser que la patience de Henry était excessive, mais je me demande si ce n'est pas l'attente qui me lie à lui, à un homme pour qui l'attente était amour.

Je ne suis pas son égal en patience, mais tu sais, je pense être capable d'attendre, non sans inquiétude ou tristesse, mais plutôt, comme Henry, avec l'espoir que... avec la foi que...

Ce que le temps apporte, ce qu'apporte chaque jour.

# Table